D1398685

HISTOIRES
DE CHATS

un conte pour chaque soir

Adaptation française de Maïca Sanconie
Texte original de Francisca Fröhlich
Illustrations de Maan Jansen
Secrétariat d'édition : Anne Terral

Première édition française 2000 par Éditions Gründ, Paris
© 2000 Éditions Gründ pour l'édition française
ISBN : 2-7000-1678-5
Dépôt légal : mars 2000
Édition originale 1997 par Rebo Publications
sous le titre *365 Kitten capers*
© 1997 Rebo Publications, Lisse, Pays-Bas

Photocomposition : Tifinagh, Paris
Imprimé en Slovénie

Loi n° 49-956 du 16 juillet 1949 sur
les publications destinées à la jeunesse.

366
HISTOIRES
DE CHATS

un conte pour chaque soir

Texte original de Francisca Fröhlich
Illustrations de Maan Jansen
Adaptation française de Maïca Sanconie

GRÜND

1er JANVIER

Les douze chats

Il était une fois une vieille dame charmante qui avait douze chats : Verveine, Neige, Boléro, Tigrou, Doudou, Noisette, Réglisse, Fleur, Mistigri, Pomponnette et Mimosa. Ils vivaient tous très heureux dans sa petite maison. Mais un jour, la vieille dame devint si vieille qu'elle dût partir dans une maison pour les personnes âgées où elle n'avait pas le droit d'emmener ses chats. Alors, elle chercha un gentil maître pour chacun d'eux. Et ils connurent ainsi toutes sortes d'aventures. Écoutez plutôt…

2 JANVIER

Fleur vagabonde

Fleur veut découvrir le vaste monde. « Comme cela, je choisirai moi-même mon nouveau maître », se dit-elle. Pendant que les autres chats font leurs valises, Fleur prépare son sac à dos. Elle n'emporte que des choses utiles : une boîte de pâtée pour chats, son coupe-griffes, plusieurs paires de chaussettes, un manteau et un sac rempli de réglisse. Fleur frotte sa tête contre les jambes de la vieille dame et serre la patte de ses amis. Puis elle s'en va à la recherche d'un gentil nouveau maître. Bonne chance, Fleur !

Fofolle Verveine

Un à un, les chats de la vieille dame s'installent dans leurs nouvelles maisons.
Verveine est la dernière à partir. C'est la plus fofolle de tous.
Elle est si distraite! Cet après-midi, elle a complètement oublié
que ses amis sont partis le matin même. Elle s'amuse
à faire une roulade sur un fauteuil et tombe par terre.
– Formidable! s'écrie-t-elle. Hé, les amis! Vous avez vu ma roulade?
Je parie que personne ne les réussit aussi bien que moi! Je suis une vraie acrobate!
Mais personne ne répond. Verveine regarde autour d'elle, très surprise.
Où sont-ils passés? Oh, c'est vrai… Ils sont partis!

Le fauteuil de Pomponnette

Pomponnette est une paresseuse. C'est tellement agréable, de dormir !
Un jour, Pomponnette était allongée dans un fauteuil, devant la cheminée
de sa nouvelle maison. Le soir, quand son maître est rentré de son travail,
il a voulu s'asseoir dans son fauteuil. Seulement, Pomponnette s'y trouvait déjà.
Il l'a poussée, mais Pomponnette n'a pas bougé. Il a secoué le fauteuil,
l'a tiré, fait basculer. Pomponnette a continué à somnoler paisiblement.
Alors son maître a dû s'asseoir dans un autre fauteuil. Depuis ce jour,
c'est devenu le fauteuil de Pomponnette. Elle y reste des heures,
bien au chaud devant le feu… Quelle paresseuse !

Mistigri et les canards

Mistigri est le plus courageux des chats.
Il vient d'apercevoir six canards
qui marchent dans le pré derrière la maison.
– Regarde, Mistigri ! Comme ils sont mignons…
s'exclame Caroline, sa nouvelle maîtresse.
Mistigri, suivi des chats du village, s'avance
vers les canards en se cachant dans l'herbe.
Il s'approche, s'approche encore…
Soudain, un gros canard marche droit sur lui.
Mistigri fait quelques pas en arrière. Cet animal est énorme.
De plus, il a un grand bec qui fait peur. Et ses yeux !
Ils sont petits, noirs et ronds, avec un regard perçant.
« Je ne le trouve pas mignon du tout, se dit Mistigri.
Et il n'a même pas l'air d'avoir peur d'un gros matou
comme moi ! » Finalement, les canards vont se jeter
dans l'étang. Caroline prend alors Mistigri dans ses bras.
– Tu es le plus courageux ! s'exclame-t-elle. Toi seul as osé
t'approcher du gros canard. Mais Mistigri sait bien
qu'il a eu aussi peur que les autres chats !

Mistigri et le miroir

On vient d'installer un grand miroir dans la nouvelle maison de Mistigri,
non loin de la porte d'entrée. Mistigri s'approche. Qui est ce matou
en face de lui? Il n'a pas l'air commode! Il fait le gros dos, remue la queue
et ne le quitte pas des yeux. «Je n'aime pas ce nouveau venu», se dit Mistigri.
«Pourvu qu'il s'en aille vite!» Jamais il ne pourrait rester
dans la même maison que cet animal sauvage.
– Que tu es bête! s'esclaffe Caroline. Ce n'est qu'un miroir!
C'est toi que tu vois, Mistigri!
Mais chaque fois que Mistigri traverse l'entrée,
il évite de regarder le gros matou. On ne sait jamais…

Doudou et la poule

Désormais, Doudou habite dans une ferme.
Aujourd'hui, c'est la première fois
qu'il a le droit de sortir de la maison.
Il écarquille les yeux de surprise.
Qui est ce gros oiseau blanc, dans la cour ?
Quel étrange animal ! Autour,
il y a des petits oisillons jaunes
qui picorent des grains sur le sol.
– Qui es-tu ? demande Doudou.
– Je suis la poule, et voici
mes poussins… Tu ne dois
surtout pas les manger !
– Pas de danger ! répond Doudou.
Je n'aime que les boulettes
de viande en boîte…
« Quel drôle de chat ! »
se dit la poule.
Depuis, Doudou
est son grand ami.

Pomponnette et les souris

Cette paresseuse de Pomponnette passe
ses journées à dormir. Un jour,
une petite souris traverse le salon.
– Pomponnette ! Une souris !
s'écrie Arnaud, son jeune maître.
« Et alors ? » se dit la chatte en soulevant
une paupière. Puis elle se tourne
dans le fauteuil pour reprendre son somme.
– Attrape-la, voyons ! insiste Arnaud.
Pomponnette s'étire, bâille et s'étire encore.
Et elle se lève enfin. Mais où est passée
la souris ? Devinez… Elle est partie !

L'amie de Neige

Neige a un cœur d'or. Elle aurait aimé être infirmière,
mais ce métier n'existe pas chez les chats.
Un jour, elle a trouvé une hirondelle blessée
dans le jardin. La pauvre avait une patte cassée
et son gazouillis n'était plus qu'une plainte.
Elle avait très mal. Neige a pris doucement
l'oiseau dans sa gueule et l'a apporté
à son nouveau maître. Tous deux ont soigné
la petite hirondelle jusqu'à ce qu'elle guérisse.
Depuis lors, Neige et son amie sont inséparables.
Savez-vous ce que fait l'hirondelle ?
Elle se perche sur sa tête et se promène
avec Neige dans le jardin ! Cela fait rire
tout le monde, bien sûr.
A-t-on jamais rien vu de pareil ?

13 JANVIER

Panache et les souris

Panache vit maintenant sur une péniche
qui transporte des grains de blé.
Or, les souris adorent ça… Elles se sont
installées dans les recoins secrets du bateau.
Panache doit les attraper pour
qu'elles ne grignotent pas toute la cargaison.
Mais Panache est un chat très gentil.
Comment pourrait-il chasser ces mignonnes
petites souris ? Il invente alors une chanson.
En entendant sa voix, les souris ont
tellement peur qu'elles fuient la péniche
comme si elle allait couler ! Panache est ravi.
Il n'a plus besoin de les chasser !

14 JANVIER

La chanson de Panache

Ha ! Ha ! Je suis Panache,
Je me promène de long
En large sur le pont
De ma nouvelle maison.
Avez-vous vu mes moustaches ?
Prenez garde ! Faites attention !
J'aime attraper les souris.
Je les chasse, les pourchasse
Et j'ai beaucoup d'appétit !
Je suis Panache,
la menace !

Verveine et le piège à souris

Le nouveau maître de Verveine s'appelle Marc.
– Écoute, dit-il à sa chatte. Il faut que tu attrapes les souris qui grignotent
les provisions dans la cuisine. Mais Verveine n'a jamais chassé la moindre souris.
Comment faire ? Marc a alors une idée. Il va utiliser un piège à souris,
tout simplement ! Il l'installe dans la cuisine et place un gros morceau de fromage
à l'intérieur… « Très appétissant ! » se dit Verveine en le voyant. Sans hésiter,
elle s'avance, s'empare du morceau et… Clac ! Le piège se referme sur son museau.
– Miaou ! miaule Verveine en se précipitant dans le salon.
Marc est stupéfait. Son piège à souris a attrapé un chat !
Pauvre Verveine ! Les souris ont tout vu depuis leur cachette.
Elles rient tellement que de grosses larmes coulent sur leurs joues.
Avec une chatte aussi nigaude, elles n'ont rien à craindre !

Réglisse et le léopard

Réglisse adore aller au zoo. Il se promène dans les allées, de cage en cage.
Il y a des animaux tellement étranges, ici! Le perroquet, par exemple…
Il a des plumes de toutes les couleurs. Et les éléphants?
Avez-vous vu leur nez? Comme il est long… Interminable!
«Décidément, les chats sont les plus beaux animaux de la terre»,
se dit Réglisse. Il arrive enfin devant la cage de son cousin le léopard.
– Bonjour, cousin! s'écrie-t-il. Toujours couché? Serais-tu paresseux, par hasard?
– Moi, paresseux? Grrrr! Sûrement pas! gronde le léopard d'un air méchant.
Réglisse a un peu peur. Son cousin n'est pas très aimable.
Heúreusement qu'il est enfermé derrière de gros barreaux!

17 JANVIER

Une rencontre

Réglisse vient de quitter le zoo. En chemin,
il aperçoit une petite chatte avec un sac sur le dos.
« Mais c'est Fleur ! » se dit-il.
– Fleur ! appelle-t-il. Ohé, petite Fleur !
Il la rattrape en quelques bonds et lui raconte
son entrevue avec le léopard.
– Allons voir ce qu'il fait, propose Fleur.
Et les voilà partis.
– Pourquoi refuse-t-il qu'on le traite de paresseux ? chuchote Fleur.
Il reste tout le temps couché dans sa cage. Et même quand il se lève,
il a l'air endormi. Regarde, il s'étire… Il bâille… Et il se recouche !
– Et toi, Fleur ? demande Réglisse. Où vas-tu avec ton sac à dos ?
– Je pars visiter le vaste monde, répond Fleur. Lorsque je reviendrai,
je te raconterai ce que j'ai vu. Au revoir !

18 JANVIER

Tigrou sait tout

Tigrou ne connaît pas de mesure.
Il veut diriger la maisonnée !
Il faut le voir, avec ses rayures,
Donner des ordres toute la journée !

Le matin, il suit son maître, Bertrand,
Jusqu'à l'école. Puis Tigrou est pressé
Et file tout droit vers l'étang.
Car là se trouve son déjeuner…

19 JANVIER

Tigrou va à la pêche

Le voisin de Bertrand a un très joli jardin, où il y a même un étang !
Il n'est pas très grand, mais rempli de poissons. Tigrou s'y rend
tous les jours. Il se penche sur le bord et essaye d'attraper
un poisson. Un matin, le voisin aperçoit le chat, prêt à bondir
sur sa proie. Il est furieux, naturellement ! Alors il lâche son chien
dans le jardin. Tigrou a juste le temps de sauter par-dessus
la clôture. Ouf ! Il l'a échappé belle !

20 JANVIER

Fleur et la niche du chien

Fleur marche le long de la route, à la recherche
d'un endroit pour dormir. Soudain, dans un jardin,
elle aperçoit une drôle de petite maison.
La porte est ouverte… Ravie, elle s'approche.
Oh ! Il y a un chien à l'intérieur ! Fleur s'enfuit
mais le chien la suit. Il aboie très fort.
Par chance, il ne va pas loin. Il est attaché !
Mais Fleur a eu peur. Elle en tremble encore.
Sur la route, elle rencontre Mistigri.
– Viens dormir chez moi ! propose-t-il.
Fleur ne se fait pas prier.
– Avec plaisir ! dit-elle.
Elle a de la chance, non ?

21 JANVIER

Mistigri et le chien

Mistigri a trouvé un nouveau jeu. Tous les jours,
il va taquiner le chien des voisins devant sa niche.
– Miaou ! Tu ne m'attraperas pas ! dit-il.
Tu n'es qu'un gros benêt de toutou ! Ha ! Ha ! Ha !
Le chien est furieux et s'élance vers Mistigri, mais en vain. Il est attaché à une laisse !
Un jour, cependant, la corde casse. Mistigri court vite se réfugier dans un arbre.
Quelle frayeur ! Désormais, il laissera le chien tranquille. C'est promis !

Neige et le gâteau

Neige regarde sa maîtresse faire un gâteau.
La chatte est perchée sur un tabouret,
près du plan de travail. Que c'est joli, la farine !
Et cette pâte sucrée, hum, qu'elle a l'air bon !
Sa maîtresse lui en donne un petit bout.
– Tiens, minette, goûte…
Délicieux ! Neige se lèche les babines. Elle aimerait
bien un autre morceau. Elle se hisse sur le tabouret et
passe la patte sur le plan de travail. Elle n'y voit rien.
« Voilà le saladier », se dit-elle. Soudain, plouf !
Neige reçoit un grand bol d'eau sur la tête.
Voilà ce que c'est d'être trop gourmande, Neige !

23 JANVIER

Verveine et la vaisselle

Ce soir, maman lave la vaisselle et Marc l'essuie.
– Range ces assiettes, s'il te plaît, lui dit maman.
Marc prend la pile d'assiettes mais Verveine a envie
de jouer. Elle se frotte contre les jambes de son maître.
Marc trébuche et patatras ! Les assiettes tombent
sur le carrelage et se cassent en mille morceaux.
– Vilaine chatte ! s'écrie maman, qui a tout vu.
– Non, proteste Marc pour protéger Neige.
C'est ma faute. J'ai glissé… Verveine ronronne.
Et pour remercier son ami, elle se frotte contre
ses jambes, encore une fois…

24

24 JANVIER

Noisette et Nestor

Dans la nouvelle maison de Noisette, il y a un chien qui s'appelle Nestor.
La chatte et lui sont d'excellents amis. Un jour, ils voient
un beau morceau de viande sur la table de la cuisine.
– Et si on le mangeait? propose Noisette. Je le ferai tomber par terre
et ensuite, tu m'en couperas un bout avec tes dents.
– D'accord! dit Nestor.
Aussitôt dit, aussitôt fait. Noisette bondit sur la table.
– Hé! Vous deux! s'écrie leur maître en entrant dans la pièce.
Sortez d'ici, et en vitesse!
La tête basse, Noisette et Nestor vont se réfugier
dans l'entrée. Dommage… La prochaine fois,
ils seront plus malins!

25 JANVIER

Tigrou et la nouvelle pâtée

Bertrand ouvre une boîte
de nourriture pour chats.
«Miam!» se dit Tigrou.
«Je meurs de faim!»
– Regarde! dit Bertrand.
C'est une nouvelle marque.
Ça sent bon, non?
Tigrou renifle la pâtée. Drôle d'odeur…
Ça ne lui dit rien du tout! Il s'en va.
– Tu n'auras rien d'autre, tu sais!
dit Bertrand, mécontent.
Mais Tigrou refuse de manger.
Pendant plus de deux jours, il boude
la nouvelle pâtée. Pourtant, il a très faim!
Finalement, Bertrand lui ouvre
une autre boîte. Quelle bonne surprise!
Ce sont ses boulettes favorites! Bon appétit, Tigrou!

Boléro prend le train

Agathe emmène Boléro partout où elle va.
Un jour, Agathe prend le train avec son chat.
Il s'assied près de la fenêtre et regarde
le paysage. Voilà que le train passe
sur un pont. Et sous le pont passe
une péniche.
– Regarde, Boléro! Un bateau! s'écrie Agathe
en faisant de grands signes au marinier.
Boléro fait aussi des signes avec sa patte.
Il a reconnu Panache et Réglisse!
Quel plaisir de revoir ses amis! Avec Agathe,
il a toujours de bonnes surprises.

Chat!

Réglisse rend visite à son ami Panache,
sur la péniche. Ils s'amusent bien.
Ils cherchent à apercevoir
un autre chat sur la rive.
– Là! dit Réglisse. Un chat blanc et noir!
– Mais non, c'est une vache! dit Panache.
– Pas du tout… C'est un cheval!
répond Réglisse.
– Et là-bas?
– Peuh! C'est un petit agneau!
– Là, alors?
– Ce rocher?
Au bout d'un moment, un train passe sur un pont.
La péniche avance. Boléro leur fait signe
depuis une fenêtre… Voilà enfin un chat!
– Bonjour, Boléro! s'écrient les deux amis, ravis.

Réglisse à la ferme

Arrivé au port, Réglisse descend de la péniche.
Son voyage n'est pas encore terminé. Il va voir
son ami Doudou, qui habite dans une ferme.
Doudou l'attend près de la barrière.
– Bonjour! dit Réglisse. Content de te voir!
Les deux amis rentrent dans la maison et la fermière
donne un bol de lait à Réglisse. Puis Doudou fait visiter
la ferme à son compagnon. Il y a les vaches dans l'étable,
les poules dans le poulailler, les chevaux dans l'écurie,
la chèvre dans l'enclos, le potager, les champs…
– C'est formidable! s'exclame Réglisse.
Mais j'ai sommeil. Où vais-je dormir?

29 JANVIER

La meule de foin

Doudou conduit Réglisse
jusqu'à une meule de foin.
– Tu dormiras très bien, ici, dit Doudou.
Les deux amis grimpent à l'échelle
et sautent dans le foin.
– Au secours! crie Réglisse en riant.
Je n'arrive pas à marcher normalement!
Il tombe sur Doudou et les deux amis
se mettent à rouler dans l'herbe sèche.
Que c'est amusant! Ils ont du foin
dans leur pelage, derrière les oreilles,
au bout de leurs moustaches…
Ils jouent jusqu'à ce qu'ils s'endorment,
épuisés. Bienvenue à la ferme, Réglisse!

Pomponnette regarde la télévision

Arnaud allume la télévision. Puis il pose la télécommande à côté
de Pomponnette et s'installe près d'elle dans le canapé. La chatte bâille d'ennui.
C'est une émission sur les chiens! «Je vais faire une petite sieste», se dit-elle.
Et elle s'endort, la tête sur la télécommande. Soudain, une autre chaîne
apparaît à l'écran. Le son monte, monte encore. Et l'écran devient rouge!
– Maman! s'écrie Arnaud. La télévision est cassée!
– Mais non, dit maman. C'est Pomponnette! Elle s'est couchée
sur la télécommande. Sa tête appuie sur tous les boutons…
Elle soulève la chatte et donne la télécommande à Arnaud.
Il peut enfin regarder son émission favorite!

31 JANVIER

Pomponnette

Mon nom est Pomponnette.
Et je suis ainsi faite
Que j'adore la sieste !
Pour moi, pas de pirouettes !
Ah ! Que c'est bon
De se mettre en boule
Dans le fauteuil du salon !
Ah ! Qu'on est loin de la foule
Bien à l'abri lorsqu'il fait nuit,
Et sans aucun souci !
S'il m'arrive de bouger,
Je vais m'asseoir
À la fenêtre pour regarder
Les gens passer.
Et lorsque vient le soir,
Miaou ! Je regagne mon panier !

Noisette et le téléphone

Noisette est seule dans le salon quand le téléphone se met à sonner. Dring! Dring!
« Quel bruit étrange! » se dit Noisette. Elle s'approche de l'appareil pour l'examiner.
Pourquoi se met-il à sonner? D'un coup de patte, elle fait bouger le combiné.
C'est très amusant. Mais le bruit continue. Noisette donne un autre coup de patte
et le combiné se décroche.
– Allô? Allô? dit la voix du téléphone. Il y a quelqu'un?
« De plus en plus bizarre! » se dit Noisette. Le téléphone parle!
– Allô? insiste la voix.
– « Miaou… Miaou… » répond Noisette.
Mais le téléphone ne comprend pas. Soudain, Noisette entend une drôle de sonnerie.
Ça fait bip, bip, bip… Eh oui! Au bout du fil, on a raccroché!

2 FÉVRIER

Neige qui vole

Aujourd'hui, maman aide Maxime
à ranger sa chambre.
– Maintenant, nous allons faire ton lit, lui dit-elle.
La couverture est roulée en boule.
Maxime et sa maman la prennent chacun
d'un côté et tirent d'un coup. Ils ignorent
que Neige est endormie à l'intérieur.
Oh! Voilà la chatte qui vole dans les airs!
Maxime et sa maman éclatent de rire.
Et lorsque Neige atterrit, ils la lancent
de nouveau en l'air. Et encore une fois…
Neige trouve cela très amusant elle aussi.
Quel dommage que cela prenne si vite fin!

3 FÉVRIER

Le lit de Boléro

Lorsque vient le soir,
Agathe a sommeil.
Elle met son pyjama,
se glisse entre les draps.
Boléro vient se coucher sur
son oreille et s'endort aussitôt.
Agathe, elle, dort déjà. Quand
Agathe se tourne sur le dos, Boléro
se tourne aussi et continue son dodo.
Et quand Agathe se met sur le côté,
le chat la suit sans cesser de ronronner.
Que c'est agréable d'avoir Boléro
dans son lit! Quant à notre ami, il passe
une bonne nuit. C'est si confortable, un lit chaud!

4 FÉVRIER

Tigrou et ses griffes

La porte de la chambre de Bertrand est entrouverte.
Le petit garçon est couché. Tigrou entre,
saute sur le lit et s'installe au beau milieu
de la couverture. Que c'est doux ! Que c'est moelleux !
Il enfonce ses griffes dans la laine,
comme s'il voulait la pétrir…
– Hé ! Arrête ! dit Bertrand en le poussant.
Tigrou montre ses griffes. Un peu effrayé, Bertrand bouge
ses jambes pour trouver une autre position. Tigrou fait
le gros dos et lui donne un petit coup de griffe. Cette fois,
Bertrand en a assez. Il lui assène une tape sur la tête.
Penaud, Tigrou va se pelotonner tout au fond du lit.
Eh oui, il devrait toujours obéir à son maître…
Mais il ne le griffera plus, c'est promis !

5 FÉVRIER

Noisette et le football

Aujourd'hui, Martin joue au football
avec ses amis. Noisette se joint à eux.
Au début, elle a un peu peur de ce gros
ballon. Elle tourne autour d'un air méfiant.
Puis elle lui donne un coup de patte…
Quelle surprise! Il roule! Comme c'est
amusant! «Vive le football!» se dit Noisette.
D'un bond, elle se lance sur le ballon
et s'y accroche. Mais le ballon roule
et l'entraîne… Pan! Ils vont se cogner
contre un tronc d'arbre.
– Miaou! fait Noisette en lâchant le ballon.
«Le football n'est pas un jeu pour les chats!»
se dit Noisette. Elle préfère la sieste.

6 FÉVRIER

Tigrou et la balle

Tigrou traverse le jardin. Bertrand vient de perdre sa balle.
Il l'a lancée très fort. Où est-elle passée? Bertrand est très déçu.
À cet instant, Tigrou aperçoit la balle dans l'herbe.
Vite, il va la chercher et la prend dans sa gueule
pour la ramener à Bertrand.
– Merci! dit Bertrand. Je ne sais pas ce que je ferai sans toi!
Depuis, ils jouent ensemble. Bertrand lance la balle
et Tigrou va la chercher. C'est beaucoup plus amusant!
Mais lorsqu'il en a assez, Tigrou s'en va. Il tient à sa liberté!

7 FÉVRIER

Neige et l'aire de jeux

Tous les jours, Maxime va jouer dans le jardin public.
Il y a des jeux formidables. Il en revient toujours
content. Neige, elle, n'y a jamais été.
Cet après-midi, elle décide d'accompagner
son jeune maître. Quel endroit curieux!
Il y a un cheval de bois, un toboggan,
une balançoire… et ça, qu'est-ce que c'est?
Neige grimpe sur une drôle de planche,
fait un pas de côté… et se retrouve le derrière
sur le sol! Aïe, aïe, aïe! Elle regagne la maison
en boitillant. Le jardin public n'est pas pour elle!
Elle est bien mieux dans son jardin!

8 FÉVRIER

Boléro et la balançoire

Agathe emmène Boléro partout où elle va, même à l'aire de jeux du jardin public.
Pendant qu'Agathe s'amuse, Boléro s'assied sur un mur et regarde les enfants.
Agathe aimerait bien que son chat s'amuse, lui aussi! Un jour, elle l'installe
sur la balançoire, puis elle lui donne une poussée. La balançoire oscille d'avant
en arrière. Agathe la pousse encore, plus haut, encore plus haut! Soudain,
Boléro glisse. Patapouf! Le voilà par terre. Heureusement, il ne s'est pas fait mal.
Et il remonte vite sur la balançoire. C'est tellement amusant!

9 FÉVRIER

Doudou et la laine

Dans l'étable de la ferme,
il y a un drôle d'animal
avec une grosse fourrure blanche.
– Qui es-tu ? demande Doudou.
– Bêêê… Je suis mademoiselle Mouton.
Je fais de la laine.
– Comment cela ?
– Le fermier tond ma fourrure et la vend
pour faire des pull-overs et des couvertures.
– Cela fait mal ? demande Doudou, très surpris.
– Pas du tout ! répond mademoiselle Mouton.
C'est comme si on te coupait les cheveux. Et puis,
on ne me tond qu'en été, lorsqu'il fait chaud.
– J'ai une fourrure, moi aussi, dit Doudou.
Et je n'aimerais pas qu'on me tonde !
Doudou se lèche avec satisfaction.
« J'ai bien de la chance d'être un chat ! » se dit-il.

36

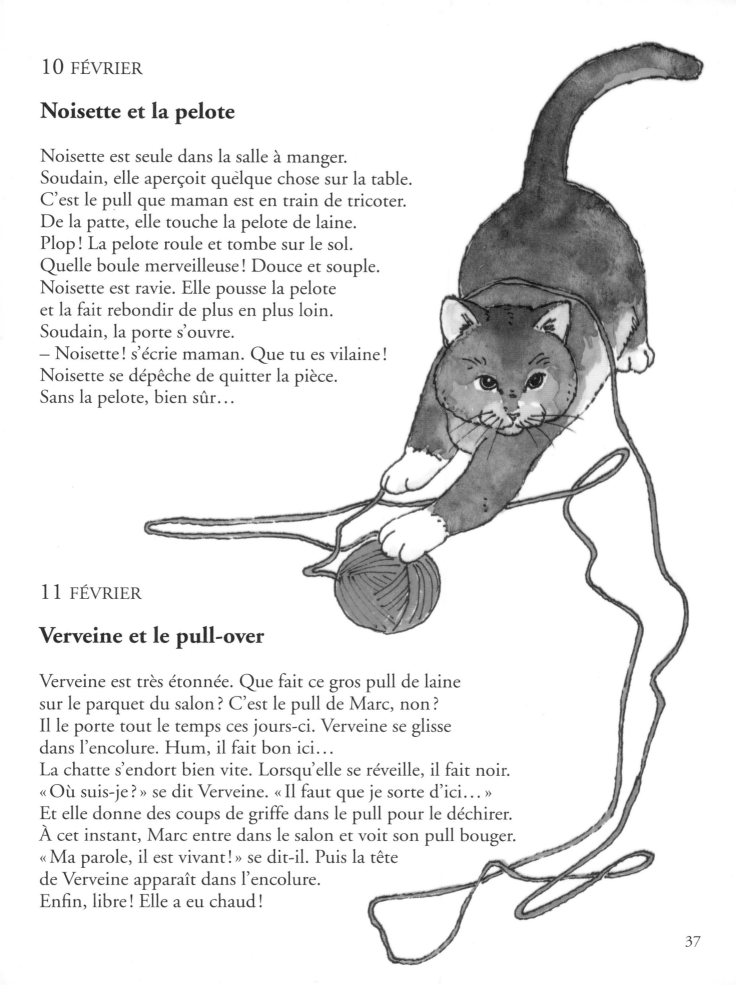

10 FÉVRIER

Noisette et la pelote

Noisette est seule dans la salle à manger.
Soudain, elle aperçoit quelque chose sur la table.
C'est le pull que maman est en train de tricoter.
De la patte, elle touche la pelote de laine.
Plop! La pelote roule et tombe sur le sol.
Quelle boule merveilleuse! Douce et souple.
Noisette est ravie. Elle pousse la pelote
et la fait rebondir de plus en plus loin.
Soudain, la porte s'ouvre.
– Noisette! s'écrie maman. Que tu es vilaine!
Noisette se dépêche de quitter la pièce.
Sans la pelote, bien sûr…

11 FÉVRIER

Verveine et le pull-over

Verveine est très étonnée. Que fait ce gros pull de laine
sur le parquet du salon? C'est le pull de Marc, non?
Il le porte tout le temps ces jours-ci. Verveine se glisse
dans l'encolure. Hum, il fait bon ici…
La chatte s'endort bien vite. Lorsqu'elle se réveille, il fait noir.
«Où suis-je?» se dit Verveine. «Il faut que je sorte d'ici…»
Et elle donne des coups de griffe dans le pull pour le déchirer.
À cet instant, Marc entre dans le salon et voit son pull bouger.
«Ma parole, il est vivant!» se dit-il. Puis la tête
de Verveine apparaît dans l'encolure.
Enfin, libre! Elle a eu chaud!

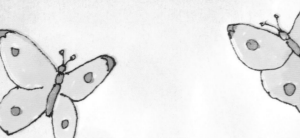

Mistigri et les papillons

Caroline joue dans sa chambre. De sa fenêtre, elle voit Mistigri dans le jardin. Il est debout sur ses pattes arrière et il lance ses pattes avant en l'air…
– Maman! s'écrie Caroline. Mistigri essaye d'attraper des papillons.
Maman vient vite voir le spectacle. Mistigri saute de plus en plus haut.
Et lance ses pattes de tous les côtés…
– Il n'y arrivera jamais, dit maman en riant. Les papillons volent bien trop haut.
Heureusement pour eux!

13 FÉVRIER

Pomponnette et la mouche

Pomponnette ronronne bien
tranquillement dans son fauteuil.
Soudain une mouche virevolte autour d'elle.
Bzz, bzz, bzzz… «Où me poser?» se dit la mouche.
Au bout de quelques instants, elle choisit l'oreille
de Pomponnette. «Qu'est-ce qui me chatouille?»
se demande Pomponnette. Elle se lève, secoue la tête…
Ça y est, c'est fini!
«Bzz, bzz, bzz, j'étais bien dans ce creux…» se dit
la mouche. De nouveau, Pomponnette sent quelque chose
lui chatouiller l'oreille. Elle se lève, secoue la tête.
Plus rien! Mais elle entend une mouche voler!
Pif, pof! D'un coup de patte, elle donne une bonne gifle
à la mouche. «Quelles manières!» se dit la mouche.
«Je ne reviendrai plus ici!»

14 FÉVRIER

Arnaud le coquin

Arnaud a vu la mouche se poser
dans l'oreille de Pomponnette.
La chatte s'est rendormie,
pelotonnée dans le fauteuil.
Il s'approche à pas de loup.
– Bzz! chuchote-t-il avant de toucher
l'oreille de Pomponnette. La chatte
s'éveille. Encore cette mouche? Furieuse,
elle se donne une tape sur la tête.
Mais Maxime a déjà retiré sa main.
– Bzz! fait-il de nouveau.
Cette fois, Pomponnette est bien
réveillée. Quel coquin, cet Arnaud!
Elle l'avait pris pour une mouche…

15 FÉVRIER

Noisette dans le salon

Une mouche est entrée par la fenêtre.
Noisette se lance aussitôt à sa poursuite. Sur la table, sur la chaise, sous la chaise…
Noisette bondit sur la commode. Ping! La lampe de porcelaine va s'écraser
sur le plancher! Maintenant, la mouche vole vraiment très haut.
Comment l'atteindre? Noisette se lance sur le rideau. Patatras! Il se décroche.
Son maître arrive dans le salon. Il est furieux! Pourtant, ce n'est pas de la faute
de Noisette. Elle essayait seulement d'attraper cette vilaine mouche!

39

Boléro et le coiffeur

Boléro suit Agathe chez le coiffeur qui doit se faire couper les cheveux.
Très intéressé, Boléro regarde l'employée faire le shampooing. Comme c'est joli,
toute cette mousse… Puis il renifle les odeurs, s'amuse avec les mèches coupées qui
jonchent le sol. Soudain, il bondit sur un siège, sous le casque qui sèche les cheveux.
Le casque est encore allumé… Hum, quelle douce chaleur! Lorsqu'Agathe est prête,
elle cherche Boléro. Où est-il passé? Elle regarde dans le coin des shampooings,
dans le vestiaire… pas de Boléro! Elle le cherche partout. Finalement, elle l'aperçoit,
endormi sous le sèche-cheveux. Et tous les deux ronronnent…

Arnaud et les ciseaux

Arnaud décide de jouer au coiffeur. Il prend les ciseaux
de sa maman et coupe les cheveux de la poupée de sa sœur.
Puis il aperçoit Pomponnette, endormie dans son fauteuil.
Et s'il coupait les poils de sa longue queue noire?
Il approche les ciseaux. Clac, clac, clac…
– Miaou! proteste la chatte. Maman arrive aussitôt.
– Seuls les coiffeurs ont le droit de se servir
des ciseaux! dit-elle. Range-les tout de suite!
Arnaud obéit. Dommage!
Cela lui plaisait bien, de jouer au coiffeur!

La fourrure de Mimosa

Laura mâche du chewing-gum après le dîner.
Elle fait des bulles, des bulles toutes roses
Qui éclatent sur son petit nez.
En voilà une… Elle gonfle. Elle explose !

Laura recommence. Elle sort sur la terrasse,
Tire son chewing-gum, le roule, le tasse,
Puis, finalement, se lasse.
Elle le pose sur le paillasson où Mimosa se prélasse.

La chatte est intéressée. Qu'est-ce que c'est que ça ?
Elle avance la patte, fait un petit pas
Et marche sur le chewing-gum de Laura !
Ça colle, ça tire, ça ne s'en va pas…

C'est collé à la fourrure de Mimosa !
Maman essaye de l'enlever avec du savon.
Rien à faire ! Quel drôle de bonbon !
Il n'y a qu'une solution. Couper la fourrure à ras !

Une bonne crème

Martin vient de finir de dîner. Il a mangé de la purée
avec une côtelette, et une excellente crème à la vanille.
Maman place les assiettes sales près de l'évier,
et va dans le salon. À cet instant, Noisette rentre
dans la cuisine. Ça sent rudement bon, là-dedans !
D'un bond, elle saute sur le plan de travail
et lèche les restes dans les assiettes. Miam !
De la bonne purée, des os pleins de viande…
Puis Noisette s'approche d'un compotier.
Elle le lèche avec appétit et ne voit pas Martin
et sa maman qui rentrent dans la pièce.
– Regarde ! chuchote Martin. Noisette aime la crème
à la vanille. Cette chatte est incroyable. Elle aime tout !

20 FÉVRIER

Tigrou et la voisine

Tous les matins, Tigrou va chez la voisine. Là-bas, il a son propre fauteuil.
Il s'y installe et dort un long moment. Lorsque Tigrou se réveille, la voisine lui donne
du lait dans une soucoupe. Un jour, le lait est chaud… Tigrou adore ça! Aussi,
le lendemain, lorsque la dame lui donne du lait froid, le chat plisse son petit museau.
– Miaou! fait-il en s'éloignant de la soucoupe.
Au début, la dame ne comprend pas. Mais au bout d'un moment,
elle prend la soucoupe, la vide et la remplit de lait chaud.
Tigrou est ravi. Finalement, il arrive toujours à se faire comprendre!

21 FÉVRIER

Boléro et le concombre

Agathe n'arrive pas à finir son entrée.
Elle déteste le concombre!
– Je ne veux plus rien voir dans ton assiette!
dit maman en allant dans la cuisine.
Et si Boléro aimait le concombre?
Agathe lui tend une rondelle sous la table.
Boléro renifle, goûte. Délicieux!
Il finit l'assiette d'Agathe.
Le lendemain, quand maman
coupe le concombre dans la cuisine,
Boléro reste à côté d'elle.
– Miaou! fait-il en se léchant
les babines.
Maman n'en revient pas.
Elle n'a jamais vu un chat
qui aimait le concombre!

Panache et l'eau glacée

La péniche de Panache navigue sur le fleuve.
Il y a beaucoup de vent, aujourd'hui.
Panache va à l'avant du bateau pour regarder le paysage.
Quelle vue magnifique ! Soudain, une grosse vague
vient s'abattre sur le pont. Brrr ! Il a les pattes toutes mouillées !
Les chats n'aiment pas l'eau et surtout pas l'eau glacée !
Panache court vers la timonerie.
– Miaou ! appelle-t-il.
Le marinier lui ouvre la porte.
– Rentre vite, Panache ! Il fait bon ici.
Le poêle répand une douce chaleur dans la cabine.
Panache va s'asseoir devant la fenêtre. De là, il voit
aussi bien qu'à l'avant. Et il ne risque pas de se mouiller !

Réglisse et Mimosa

Aujourd'hui, Réglisse rend visite à Mimosa. Il pleut. Réglisse se dépêche.
Il se faufile par la chatière de la maison de Mimosa.
– Oh! Tes pattes sales ont taché le tapis! s'écrie Mimosa.
Réglisse avait oublié… Son amie est très propre.
Elle aime que tout soit impeccable.
– Je suis désolé, dit-il. Mais comme tu es belle,
aujourd'hui, Mimosa!
Mimosa adore les compliments.
Elle n'est plus du tout fâchée.
Et puis, Réglisse lui a apporté
un adorable nœud rose!
C'est gentil, non?

24 FÉVRIER

Une chatte vagabonde

Fleur a beaucoup marché. Elle est fatiguée.
Elle aperçoit une voiture sur le bord de la route.
Si elle grimpait dessus pour une petite sieste? Il fait
chaud sur le capot. La chatte s'endort en ronronnant.
Soudain, un cri la réveille en sursaut.
Un homme arrive en courant.
– Descends tout de suite de ma voiture! ordonne-t-il.
Je viens de la laver!
Fleur regarde le capot. Ses pattes pleines de boue
ont dessiné un petit chemin sur la carrosserie.
C'est normal… C'est une chatte vagabonde!

45

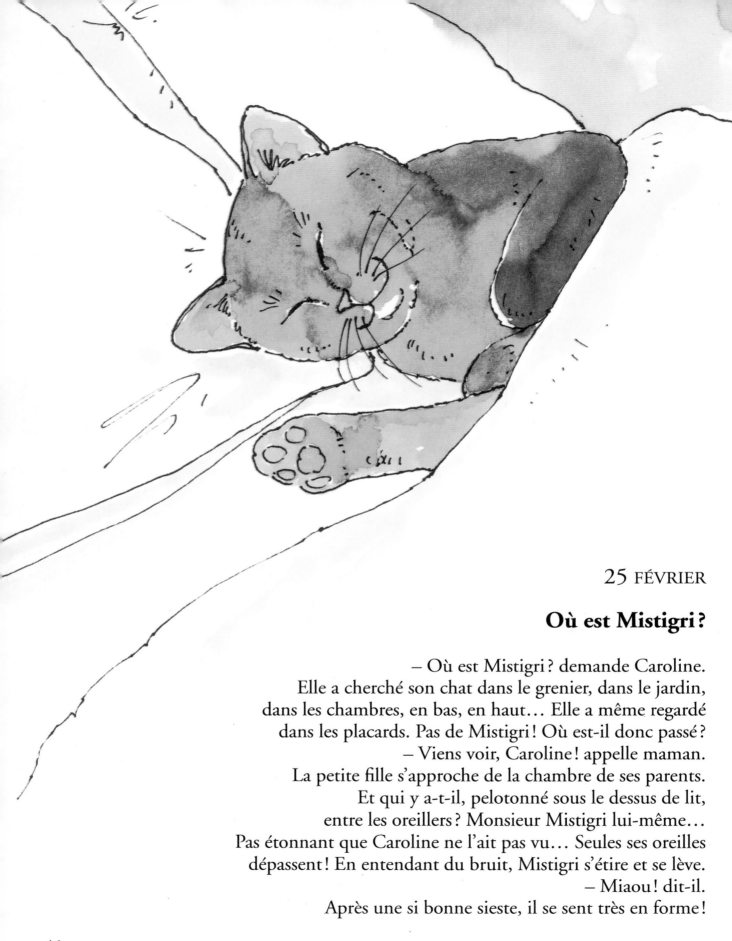

25 FÉVRIER

Où est Mistigri?

– Où est Mistigri? demande Caroline.
Elle a cherché son chat dans le grenier, dans le jardin,
dans les chambres, en bas, en haut… Elle a même regardé
dans les placards. Pas de Mistigri! Où est-il donc passé?
– Viens voir, Caroline! appelle maman.
La petite fille s'approche de la chambre de ses parents.
Et qui y a-t-il, pelotonné sous le dessus de lit,
entre les oreillers? Monsieur Mistigri lui-même…
Pas étonnant que Caroline ne l'ait pas vu… Seules ses oreilles
dépassent! En entendant du bruit, Mistigri s'étire et se lève.
– Miaou! dit-il.
Après une si bonne sieste, il se sent très en forme!

Tigrou aime les lits

– Regarde, maman,
disent les enfants. Tigrou
s'est couché sur notre lit!
Maman a dit que les chats
n'avaient pas le droit
de dormir sur les lits.
Elle chasse Tigrou.
Mais celui-ci n'a pas dit
son dernier mot.
Tout doucement, il se dirige
vers une autre chambre.
Maman le suit… Tigrou sort,
choisit une autre pièce.
Mais maman aussi! On dirait
qu'elle aime jouer
à cache-cache. Parfois,
maman est occupée,
et Tigrou en profite
pour bien se cacher…
Mais quelqu'un finit
toujours par le trouver!

27 FÉVRIER

Verveine et la vitre

Clinc! Clanc! Quel est ce bruit à l'étage? Marc grimpe l'escalier
à toute allure. Cela vient de sa chambre! Il entre dans la pièce.
Verveine est devant la fenêtre. Dehors, il y a un autre chat
dans la gouttière. Verveine essaye de lui donner un coup de griffe.
Clinc! Clanc! fait sa patte sur la vitre. Marc éclate de rire.
– Petite sotte! s'écrie-t-il en prenant la chatte dans ses bras.
Tu ne vois donc pas qu'il y a une vitre?

Maxime et Adrien

L'ami de Maxime, Adrien, vient l'inviter à jouer au football avec lui.
Mais Maxime veut rester jouer avec Neige. Alors Adrien boude.
« C'est la faute du chat », se dit-il.
– Idiote ! s'écrie-t-il en pinçant la queue de la pauvre Neige.
Neige miaule et se sauve. Elle se réfugie sous le lit de Maxime.
Comme cela, cet horrible Adrien ne pourra pas l'attraper !
Mais Maxime est très en colère contre son ami.
Il lui donne un coup de pied. Maman arrive, très fâchée.
– Va dans ta chambre ! ordonne-t-elle.
Quand Neige voit arriver son ami, elle sort de sa cachette pour le consoler.
Maxime est tellement gentil ! Il a voulu se battre pour elle !

Le lit de Neige

Connaissez-vous Neige la chatte,
Elle est pour Maxime une amie,
Et elle a toujours hâte
De lui tenir compagnie.

Maxime lui a fait une surprise.
Pour qu'elle dorme à sa guise.
Il lui a construit un petit lit
Rien que pour elle. Qu'il est joli !

Tu pourras dormir toutes les nuits,
Dit-il, bien au chaud sous les draps.
Tu y seras bien à l'abri,
Et quels beaux rêves tu feras !

1ᵉʳ MARS

La maison inconnue

Il pleut. Fleur erre dans le jardin d'une grande maison. Son sac à dos
pèse très lourd aujourd'hui, et il fait froid et elle a faim. Par chance,
la porte de la cuisine est entrouverte. Vite, Fleur se glisse à l'intérieur.
– Ferme la porte de la cuisine, s'il te plaît, ordonne alors une grosse voix.
Fleur court se cacher derrière un rideau. Il y a un bruit de pas.
Ensuite, plus rien… Fleur est enfermée dans la grande maison !
Mais ça lui est bien égal. Il fait chaud ici, et il y a même un reste de lait
dans un bol, à côté de l'évier. Fleur le lape avec délice.
Puis elle se pelotonne dans un fauteuil et s'endort.
Bonne sieste, Fleur !

2 MARS

La salle de bains

Fleur dort dans le fauteuil du salon. Soudain,
un chien aboie : « Ouah ! Ouah ! » Fleur se réveille en
et court se cacher. N'aies pas peur, Fleur ! Le chien e
Ouf ! Fleur n'en menait pas large, toute seule dans c
inconnue. Soudain, elle entend un autre bruit. Plop
Y aurait-il quelqu'un d'autre dans la maison ? Plop..
Le bruit continue. Est-ce une personne ou un anim
d'en haut. Fleur monte doucement l'escalier. Plop..
Le bruit provient de la salle de bains. La porte est c
C'est le robinet de la baignoire qui était mal ferm
L'eau tombait goutte à goutte.
Fleur peut retourner dormir.
Elle n'a rien à craindre.

Un bon petit déjeuner

Fleur a bien dormi dans la grande maison. Le matin, dans la cuisine, elle trouve du lait, de la viande et du poisson. Fleur dévore tout avec appétit. Soudain, elle entend la porte d'entrée qui s'ouvre. Fleur se cache dans un coin.

– Tiens! Le réfrigérateur est ouvert, dit une voix d'homme.

– Quelqu'un a mangé de la viande et du poisson. Et la bouteille de lait est renversée! ajoute une voix de femme.

– C'est étrange. Je ne vois personne, dit l'homme. Je vais jeter un coup d'œil dehors. Il ouvre la porte de la cuisine. Aussitôt, Fleur en profite pour filer dans le jardin. Elle est sauvée! Et quel bon petit déjeuner…

4 MARS

Doudou et les vaches

Doudou est dans la cour de la ferme. Il est très tôt et le fermier va traire les vaches. Ensemble, ils pénètrent dans l'étable.

– Meuh! fait une vache, juste dans l'oreille de Doudou. «Quel animal stupide!» se dit Doudou. Une autre vache essaye de le pousser. Doudou est fâché. Quelles manières! S'il ne fait pas attention, ces grosses bêtes l'écraseront sous leurs sabots. Pourtant, il vient ici tous les matins. Savez-vous pourquoi? Non? Eh bien, suivons Doudou… Voilà le fermier qui traie les vaches. Doudou s'assied sur un tabouret, à côté de lui. Il attend que le fermier lui donne un grand bol de lait! Quel délice! Doudou en oublie ses soucis et lape le bon lait encore chaud. Bon appétit, Doudou!

5 MARS

Doudou

Doudou, le chat de la ferme
Aime la vie à la campagne.

Il se grise d'air pur,
Et savoure la nuit étoilée

Il peut dormir à la dure
Et devant la cheminée.

Il aime le bon lait chaud
Et fait de gros dodos…

6 MARS

Doudou et Nestor

– Ouah ! fait Nestor
le chien. Je dois aller
aider mon maître.
Peux-tu monter la garde
à ma place, Doudou ?
Doudou est très fier. Nestor lui a confié un travail difficile.
Il s'installe dans la niche du chien, à l'entrée de la ferme.
Soudain, un homme pénètre dans la cour. Il a l'air d'un bandit. Il marche
sur la pointe des pieds et se dirige vers l'étable des vaches. C'est très inquiétant !
– Miaou ! Miaou ! fait Doudou.
Mais personne ne l'entend. Que faire ? Vite, Doudou va chercher Nestor.
– Nestor ! Il y a un bandit dans la cour !
Le chien se précipite en aboyant. Effrayé, le bandit s'enfuit à toutes jambes.
Bravo, Doudou ! Voilà du bon travail !

Mistigri et la neige

Mistigri regarde par la fenêtre. Bientôt, ce sera le printemps !
Mais pour l'instant, il neige. C'est très joli, tous ces flocons blancs.
Mistigri se glisse dehors par la chatière. Brrr ! C'est froid !
Il lève une patte puis l'autre, et goûte un flocon. On dirait de l'eau…
C'est curieux ! Un flocon se pose sur son museau. Puis un autre
et encore un autre. Mistigri essaye de les attraper. Mais dès que sa patte
touche les flocons, ils fondent et se transforment en eau.
Au bout d'un moment, Caroline vient le chercher.
– Voyons, gros nigaud, on ne peut pas attraper la neige ! s'exclame-t-elle.
Penaud, Mistigri rentre dans la maison. Maintenant, il est tout mouillé !

Un chasseur

Mistigri sort parfois la nuit.
Il veut chasser des souris…
Pourtant, à la maison, il est bien nourri.
Il a du lait, des croquettes, de la pâtée,
Son coussin pour dormir et pour rêver…
Seulement, Mistigri rêve parfois
Qu'il est un héros d'autrefois,
Un grand chasseur dont les exploits
Sont décrits dans les livres d'enfants.
C'est pourquoi il sort la nuit.
Mais il n'est pas du tout méchant
Et jamais il n'attrape une seule souris !

Mistigri et l'hirondelle

Une hirondelle vient de se poser sur la mangeoire des oiseaux. Elle picore des miettes de pain. Mistigri la guette depuis un moment. Soudain, il bondit… Le voilà perché sur la mangeoire! Enfin, pas pour très longtemps… Sous son poids, elle vacille, penche. Patatras! Elle se casse en s'écroulant sur le sol. Le lendemain, la mangeoire est réparée. Cette fois, Mistigri grimpe dessus. Lorsque l'hirondelle viendra, il n'en fera qu'une bouchée! Mais Caroline arrive avant l'oiseau.
– Vilain! s'écrie-t-elle en prenant Mistigri dans ses bras. Tu es bien trop gros pour te cacher ici! Les hirondelles t'ont vue aussi bien que moi!
Vraiment? Mistigri était pourtant fier de son idée…

10 MARS

Mistigri et la feuille

Une grosse araignée a tissé sa toile
et Mistigri tend sa patte vers elle.
«Quelle vilaine créature!» se dit-il
en contemplant l'araignée velue. «Et pourquoi
a-t-elle tant de pattes?» Il touche la toile
qui se balance. Mais il a peur de l'horrible animal…
Alors il s'en va. Que pourrait-il attraper? Soudain, il voit
une feuille sur l'herbe du sentier. Paf! Il l'attrape avec sa patte.
Ensuite, il la saisit entre ses dents et très fier, il va trouver Caroline.
– Miaou! dit-il.
Caroline éclate de rire. La feuille est collée sur les moustaches
de Mistigri!

11 MARS

La plus belle

– Maman, dit Laura, est-ce que Mimosa
est la plus belle chatte du monde ?
– Mimosa est très jolie, répond maman.
Mais je crois qu'il y a des chattes plus jolies encore.
– Non ! insiste Laura. C'est la plus belle !
– Il y a un moyen de le savoir, dit maman.
Demain, nous irons au concours des chats.
Si Mimosa le gagne, alors c'est qu'elle est vraiment
la plus belle. Mimosa a tout entendu.
Elle se regarde dans le miroir. « Aucun doute !
Je suis la beauté même », se dit-elle. Mais
elle n'est pas très rassurée. Et s'il y avait
des chattes aussi belles qu'elle, demain ?
« Impossible ! Je dois gagner », se dit-elle.
En attendant, il faut dormir.
Bonne nuit, Mimosa !

12 MARS

La toilette de Mimosa

Laura se lève de bonne heure. Encore
en pyjama, elle s'assied près du panier de Mimosa pour la peigner. Bientôt, la fourrure de
Mimosa brille. Ensuite, Laura met un joli nœud autour du cou de la chatte. Puis maman
lui coupe les griffes. Mimosa n'aime pas ça, mais pour une fois, elle ne dit rien. Aujourd'hui
n'est pas un jour comme les autres. Mimosa se regarde dans le miroir. Comme elle est belle !
Mais est-ce suffisant pour gagner le concours ? Vite, elle se lèche pour finir sa toilette.
Les humains ne peuvent pas penser à tout ! Maintenant, elle est vraiment superbe.

13 MARS

Mimosa au concours de chats

Il y a beaucoup de monde au concours, et surtout beaucoup de chats !
Mimosa a un peu peur. Elle ne quitte pas Laura et regarde autour d'elle.
Par chance, les autres chats ne sont pas sensationnels… Sauf celui-ci. Et celle-là…
Ils ont fière allure. Mimosa retrousse les babines et crache avec dédain.
Puis le concours commence. Les jurés passent devant les chats pour les examiner.
Ils arrivent enfin devant Mimosa. Elle n'ose pas lever les yeux…
Mais elle sourit et bouge la queue d'une très jolie façon. Quand ils sont partis,
Mimosa se blottit contre Laura. Ouf ! Cette épreuve est terminée ! Va-t-elle la gagner ?

14 MARS

Le premier prix

Un monsieur annonce le nom
des trois plus beaux chats.
– Le troisième prix revient à…
Mimosa retient son souffle. Heureusement,
ce n'est pas elle. Elle n'a aucune envie d'arriver
en troisième position. Elle veut être la première !
– Le deuxième prix…
Mimosa ferme les yeux. Hourra !
C'est un autre nom que le sien.
Pas question de se contenter d'être seconde.
– Enfin le premier prix revient à une très jolie
chatte, la plus belle de toutes. C'est… Mimosa !
– Bravo ! s'écrie Laura. Tu vois, maman,
c'est Mimosa la plus belle !
Le président donne une médaille
et une coupe à Mimosa.
Elle les a bien méritées !

Neige prend un bain

Tout le monde a fini de manger. Les assiettes vides sont posées
à côté de l'évier. Neige les lèche avec application. Puis, elle a soif.
– Miaou! demande-t-elle.
– Tu veux boire? dit Maxime. Tiens…
Il ouvre le robinet d'eau froide et Neige se penche pour boire.
Mais le robinet est vraiment très loin, et l'égouttoir est glissant.
Soudain, plouf! Neige tombe dans l'eau de la vaisselle! Affolée,
elle grimpe sur le bord de l'évier. Puis elle s'ébroue de toutes ses forces.
Il y a de l'eau partout à présent! Même Maxime est tout mouillé!

L'aspirateur

Faire le ménage dans la journée
Enlever la poussière, faire briller,
Neige ne se fait pas prier :
Voilà quelque chose qui lui plaît!

Elle aime nettoyer, frotter, récurer,
Balayer, laver, repasser…
Mais quand on passe l'aspirateur,
Voilà Neige qui prend peur!

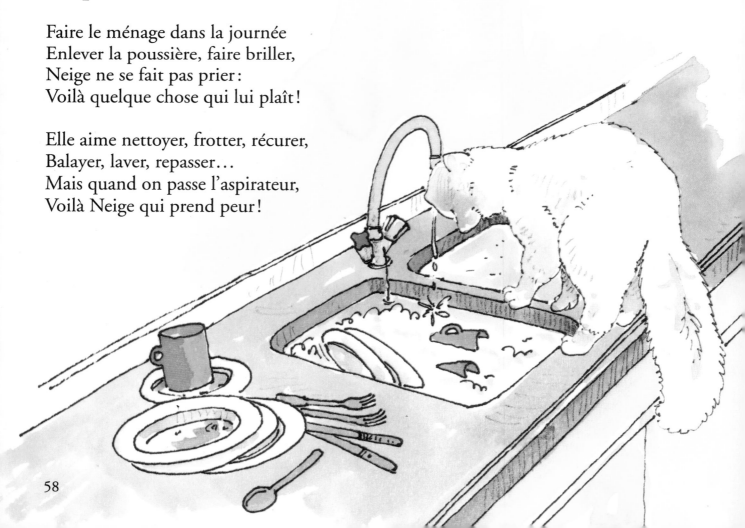

17 MARS

Ensemble

Maxime balaye la terrasse pour enlever le sable. Neige est très intéressée
par les mouvements du balai. Il va et vient, va et vient…
Elle a bien envie de jouer avec lui! Tout d'un coup, elle s'élance
et lui donne un coup de patte. Le balai part de l'autre côté. Que c'est amusant!
Neige lui donne un autre coup de patte, et le balai recule encore.
Maxime s'amuse beaucoup, lui aussi. Il pousse le sable vers la chatte et celle-ci donne
de grands coups de patte. Soudain, Neige bondit sur le manche et plante ses griffes
dans le bois. Maintenant, Maxime la balance chaque fois qu'il avance le balai.
Neige est ravie mais Maxime n'a plus envie de jouer. Neige est beaucoup trop lourde!

18 MARS

Verveine et le papier peint

Ce matin, Verveine n'a pas le droit d'entrer dans le salon. Deux hommes
s'y sont enfermés. Au bout d'un moment, ils sortent pour boire un café.
Mais ils n'ont pas bien refermé la porte derrière eux. Verveine entre dans la pièce.
Il n'y a plus de meubles ! Juste des pots et des rouleaux de papier.
Verveine renifle l'un des pots. Bizarre… Elle plonge la patte dedans. Oh ! Ça colle !
Elle retire sa patte et s'approche des rouleaux de papier. Ils ont l'air plus intéressant.
Mais le papier lui colle aux pattes. Il se déchire, il se froisse, il ne veut pas la lâcher !
Au bout d'un moment, Verveine est devenue une vraie boule de papier collé…
Marc entre à son tour dans la pièce.
– Que fais-tu, Verveine ? s'exclame-t-il.
Ce n'est pas comme cela qu'on pose du papier peint !

60

19 MARS

Verveine et la peinture

Le lendemain, les peintres travaillent encore
dans le salon. Verveine n'a plus le droit d'y aller,
vous pensez bien! Mais elle sait ouvrir une porte
avec sa patte. Dès que les peintres vont boire
leur café, elle pénètre dans la pièce. Il y a encore
beaucoup de pots, et aussi des brosses. Verveine
renifle l'un des pots. Ça sent très mauvais!
Elle recule, écœurée et sa queue plonge
dans la peinture. Mais la chatte n'a rien senti.
Elle se promène dans le salon et sa queue frôle
le mur. Il y a plein de traces vertes partout
maintenant, même sur le plancher…
Marc entre dans la pièce. Vite, il prend un chiffon
et essuie la peinture.
– Voyons, Verveine, ta queue n'est pas un pinceau,
tu sais! déclare-t-il en riant.

20 MARS

Verveine laisse des traces

Les peintres ont terminé leur travail,
mais Verveine n'a toujours pas le droit d'entrer
dans le salon. Alors elle va dans le jardin.
Tiens, la fenêtre du salon est entrouverte! Verveine bondit sur le rebord
et entre dans la pièce. Le sol vient d'être peint et la peinture n'est pas encore sèche.
Les pattes de la chatte laissent des traces bien nettes sur le sol blanc.
Une mouche entre à son tour par la fenêtre. Verveine court après elle
pour l'attraper. Elle saute, elle bondit… Tout à coup, elle entend des pas.
Vite, Verveine s'échappe par la fenêtre. Heureusement, personne ne l'a vue!
– Verveine! Vilaine, tu as été dans le salon! s'exclame soudain Marc.
Comment peut-il le savoir? se demande Verveine, très étonnée.

Pomponnette et le pyjama

Arnaud vient de partir à l'école. Pomponnette bâille et s'étire. Elle n'a aucune envie de se lever. Pourquoi ne pas faire la grasse matinée dans la chambre de son maître ? Elle y sera tranquille. Le soir, Arnaud cherche Pomponnette dans toute la maison.

– Maman ! s'écrie-t-il. Où est Pomponnette ? Je ne la trouve nulle part.

Maman cherche à son tour. Mais Pomponnette n'est pas sous les lits, ni dans l'entrée, ni dans le salon, ni même dans le grenier. Arnaud est très triste. Lorsque vient le moment de se coucher, il se déshabille et prend le pyjama qui est sur son lit.

Mais que se passe-t-il ? Il y a une oreille dans son pyjama ? Deux oreilles ? Un petit museau rose et des moustaches ?

– Pomponnette ! s'écrie-t-il, fou de joie.

22 MARS

Deux amis

Noisette et Nestor se chamaillent.
– Tu n'as même pas de chatière pour entrer dans la maison! déclare Noisette.
Moi, je peux rentrer et sortir comme je veux!
– Mais moi, je peux t'attraper! réplique Nestor.
Et il la poursuit dans la pièce. Il court beaucoup plus vite que Noisette
et la chatte n'aime pas ça du tout! Lorsqu'il est sur le point de l'attraper,
elle lui donne un coup de patte sur le museau.
– Aïe! fait Nestor. Ce n'est pas gentil!
Et il va se coucher dans son panier en gémissant. Noisette aime bien
taquiner Nestor. Mais elle ne voulait pas lui faire mal.
– Je peux venir dans ton panier? demande Noisette.
Nestor n'est pas rancunier. Et Noisette se blottit contre son ami.
Pour se faire pardonner, elle lui lèche les oreilles. Nestor est très content!

23 MARS

Un bébé très spécial

Maxime joue à la poupée.
– Toi, Neige, tu seras la maman! dit-il.
Et moi, le papa.
Ils donnent son bain au bébé,
puis Maxime l'habille, le déshabille,
le rhabille. C'est très amusant.
– J'en ai assez, dit soudain Maxime.
Je vais faire du coloriage.
Il pose la poupée sur le sol. Mais Neige
ne peut pas tenir de crayons de couleur
dans ses pattes. À quoi va-t-elle jouer?
Ce n'est pas drôle d'être toute seule
avec la poupée. Alors, elle a une idée.
Elle va jouer au bébé!
Et le bébé, ce sera elle! Neige grimpe
dans le lit du bébé et se roule
en boule. «Quel jeu formidable!»
pense-t-elle avant de s'endormir.

Panache dans les cordes

Panache a couru après une mouette sur le pont de sa péniche. Maintenant,
il est fatigué. Il s'installe au milieu d'un tas de cordes. Il fait bon sur le pont,
au soleil. Panache s'endort au bout de deux minutes.
Soudain, il se réveille en sursaut. Que se passe-t-il ? Il est soulevé dans les airs !
C'est que la corde est accrochée au foc, et le foc bouge… Oh ! Le voilà
qui se balance au-dessus de l'eau, à présent ! Panache a le vertige. Il faut absolument
qu'il descende ! Il essaye de se dégager et tout d'un coup… il tombe !
Où va-t-il atterrir ?

Panache
et son maître

Heureusement, Panache
se rattrape à la rambarde
juste à temps ! Ouf !
Il a eu très peur ! La femme
du capitaine a tout vu.
– Fais attention, Panache !
s'écrie-t-elle. Sinon, tu vas te noyer !
– Miaou ! répond Panache.
La prochaine fois, il ne s'endormira pas
n'importe où. Mais où est le capitaine ?
Panache ne le voit pas sur le pont. Curieux,
il regarde par-dessus bord. Le voilà, dans sa barque.
Il va à la pêche… Comme Panache aimerait partir avec lui !
– Saute, Panache ! s'écrie le capitaine.
Le chat n'hésite pas une seconde et rejoint son maître.
Youpi ! Ils vont pêcher ensemble !

26 MARS

Panache en mer

Panache est ravi. Le capitaine l'emmène pêcher avec lui
sur son petit voilier! Le vent fait gonfler la voile
et le bateau glisse sur les vagues. Quelquefois il penche
sur le côté. Panache trouve cela merveilleux,
même s'il est tout éclaboussé par les embruns.
– Viens ici, Panache! dit le capitaine. Tu seras au sec.
Il installe le chat à l'intérieur de sa veste.
Le tissu est très épais et l'eau ne le mouille pas.
Qu'il fait bon, dans la veste du capitaine!
Panache peut regarder les vagues
tout en étant bien à l'abri.
Le roulis du bateau le berce. Bientôt, il s'endort.
Quel merveilleux voyage! Il rêve qu'il navigue
sur la mer. Et qu'il attrape plein de poissons!

27 MARS

Corazon Corbeau

Corazon Corbeau
rente dans la maison
par la fenêtre ouverte.
– Je suis une voleuse, croasse-t-elle. C'est moi
Corazon Corbeau! Mes ailes sont de jais,
mon bec est pointu… Turlututu, je vole bijoux et joyaux!
Maxime et sa maman n'ont pas entendu Corazon. Mais Neige
l'aperçoit juste au moment où elle s'empare d'une bague et d'une bille.
– Pose ça! ordonne Neige.
– Croa! Croa! Tu n'as qu'à m'attraper! ricane Corazon.
Un peu plus tard, maman et son petit garçon se mettent à crier.
– Au voleur! dit maman. Quelqu'un a pris ma jolie bague sur ma coiffeuse!
– Et ma plus belle bille me manque! dit Maxime.
Neige sait où habite Corazon. Mais elle a beau miauler,
ni Maxime ni sa maman ne la comprennent! «Tant pis!» se dit Neige.
Elle récupérera toute seule la bague et la bille. Oui, mais… comment faire?

28 MARS

Le nid de Corazon

Neige sort dans le jardin. Mistigri est assis sur la barrière.
– Corazon a volé une bague et une bille ! explique Neige à son ami.
– Sais-tu où elle habite ? demande Mistigri.
– Oui. Dans ce grand arbre, là…
– Je vais t'aider, déclare Mistigri. Mais il faut faire doucement,
pour que Corazon ne nous entende pas !
Les deux chats grimpent dans l'arbre en silence.
– Regarde ! dit Mistigri. Elle est là, dans son nid…
– Dans ce cas, nous ne pourrons pas reprendre la bague, ni la bille ! dit Neige.
– J'ai un plan ! dit Mistigri. Je vais attirer Corazon loin de son nid.
Pendant ce temps, tu reprendras les objets volés.
Mistigri monte sur une haute branche.
– Hé, Corazon ! crie-t-il. Tu es laide ! Jamais je n'ai jamais vu dame corbeau si vilaine…
Très en colère, Corazon fonce sur le chat. Vite, Neige prend la bague et la bille
et redescend de l'arbre. Maxime et sa maman sont très heureux.
Merci beaucoup, Mistigri et Neige !

Fais attention, Boléro

Boléro s'est endormi sur le rebord de la fenêtre.
Soudain, une mouche bourdonne à son oreille. Bzz, bzz…
Elle se pose sur la tête de Boléro. Il lui donne un coup de patte. Raté!
Bzz, bzz… La revoilà! Cette fois, Boléro se redresse. Il s'élance et…
tombe dans le vide! Boléro avait oublié qu'il était au premier étage.
Quel vol plané! Heureusement, les chats sont très souples,
et Boléro atterrit sans dommage sur le gazon.

La berceuse d'Agathe

Agathe joue dans le jardin.
Soudain, elle aperçoit Boléro qui tombe
de la fenêtre de sa chambre. Elle court vers lui.
– Tu t'es fait mal? demande-t-elle, très inquiète.
– Miaou! répond le chat.
Elle ramasse Boléro et le prend dans ses bras.
Boléro ronronne.
Que c'est agréable de se faire bercer!
Il a l'impression d'être un petit bébé…
Mais Agathe le balance de plus en plus fort!
Oh! Il a mal au cœur!
Boléro s'enfuit des bras de sa maîtresse.
Il aime encore mieux tomber de la fenêtre
que de se faire secouer de cette façon!

31 MARS

La chute d'un chat

Boléro aime se vanter :
« Je retombe toujours sur mes pieds ! »
Se plaît-il à proclamer.
Mais quelquefois,
Il tombe de guingois.
Et ne dit rien de son exploit !

Miaou… ouille ouille ouille !
Miaou… ouille ouille ouille !

Boléro a fait un vol plané,
Sans le faire exprès !
D'un grand élan, il s'est jeté
Sur la mouche qui le taquinait.
Attention, Boléro…
La chambre d'Agathe est très haute.

Miaou… ouille ouille ouille !
Miaou… ouille ouille ouille !

Boléro a eu un peu peur
En tombant de cette hauteur.
La prochaine fois, c'est promis,
Il ne sera pas si étourdi.
Car les chats ne sont pas faits pour voler,
Et pourraient bien se blesser !

Miaou… ouille ouille ouille !
Miaou… ouille ouille ouille !

1er AVRIL

Poisson d'avril

Le premier avril, les gens se jouent des tours. Les chats aussi, figurez-vous !
Et savez-vous ce qu'ils préfèrent ? Jouer des tours à leurs maîtres !
Aujourd'hui, Verveine n'en fait qu'à sa tête. Elle n'a pas le droit de monter
sur le plan de travail de la cuisine, à côté de l'évier. Mais c'est le 1er avril,
alors elle y grimpe et renverse la boîte de sel avec sa queue. Il y a du sel partout.
Sur le pain, dans le pot de confiture, dans l'évier…
– Verveine ! gronde maman. Tu as encore fait une bêtise.
– Laisse-la, maman, dit Marc. C'est le premier avril !

2 AVRIL

Un lion sur mes genoux

J'ai tenu un lion sur mes genoux.
C'est bien plus gros qu'un chat !
Mais ce n'est pas plus doux…
Un lion, ça pèse un poids !

J'avais du mal à respirer…
Et puis un coup de griffe de l'animal
Peut vous faire très mal.
Sans parler de ses dents… Un vrai danger !

Et que lui donner à manger ?
Il ne veut pas d'une simple pâtée…
Décidément, je préfère mon chat
Qui ronronne et dort dans mes bras !

Un lion effrayant

Réglisse se réveille en sueur. Il a rêvé qu'un gros lion le dévorait !
Il s'approchait et… gloups ! Réglisse disparaissait dans son énorme gueule.
Heureusement, c'était un cauchemar. Réglisse bâille et s'étire dans son panier.
Mais qu'y a-t-il, là, dans l'obscurité ? On dirait un gros chat, avec une crinière
et une touffe de fourrure sur la queue. Oh ! On dirait même un lion !
– Bbon… Bbbb… bonjour ! bredouille Réglisse. Comment t'appelles-tu ?
Le lion ne répond pas. Réglisse s'avance. Bizarre… Le lion ne bouge pas !
Et il n'a pas une odeur de lion non plus. Soudain, Réglisse comprend.
C'est le lion en peluche de Marie ! Ouf !
Tout est bien qui finit bien !

Un petit tour en vélo

– Veux-tu venir avec nous, Boléro ?
Sans attendre la réponse de son chat, Agathe
l'installe dans le panier, sur le porte-bagages.
– En route ! s'écrie-t-elle en montant en selle.
Et les voilà partis. Au début, Boléro
a un peu peur. Il y a tant de choses nouvelles,
sur la route… Et puis, Agathe roule si vite !
Peu à peu, Boléro s'habitue.
Il regarde autour de lui avec curiosité.
Soudain, il aperçoit un chien. Vite !
Il rentre la tête dans le panier.
Puis, au bout de quelques minutes,
Boléro pointe prudemment le museau
hors du panier. Sauvé ! Le chien est loin.
Agathe pédale à toute allure. Le vent
repousse les oreilles de Boléro en arrière…
Ce que c'est amusant ! Il faudra qu'Agathe
l'emmène plus souvent faire un petit tour en vélo !

5 AVRIL

Ça sent bon !

Aujourd'hui, maman envoie Agathe chercher de la viande chez le boucher. Devant la boucherie, il y a un panneau « Interdit aux chiens ». Donc les chats ont le droit d'y entrer… Mais Agathe garde Boléro caché dans son manteau. On ne sait jamais !
– Je voudrais une livre de bifteck haché, s'il vous plaît monsieur, demande Agathe.
Au moment de payer, le boucher lui donne une tranche de saucisson.
Quelle bonne odeur ! se dit Boléro en pointant le bout de son museau.
Agathe essaye de le cacher, mais le boucher l'a vu.
– Hum, dit-il, ce chat aimerait peut-être
une tranche de saucisson, lui aussi ?
Quel gentil boucher !

6 AVRIL

Des provisions

Agathe va au supermarché. Elle installe
Boléro dans un chariot. Puis elle va prendre
plusieurs boîtes de pâtée pour chat.
– Il faut du pain pour le dîner ! dit-elle.
Je reviens dans une minute.
Boléro regarde les étagères pleines
de nourriture pour chat.
Agathe n'en a pas pris beaucoup !
Il va l'aider… Lorsqu'Agathe revient,
le chariot est plein.
– Boléro ! s'exclame Agathe.
Tu as donc faim à ce point ?
Boléro est très étonné. Il n'a pas
l'intention de tout manger ce soir, bien sûr.
Il voulait seulement faire des provisions !

7 AVRIL

L'œuf

Verveine est montée sur le plan de travail de la cuisine.
Maman y a laissé un œuf. Curieuse, Verveine s'approche
et lui donne un léger coup de patte. L'œuf roule sur le côté.
« Intéressant », se dit Verveine. Elle lui donne
un autre coup de patte. L'œuf roule plus loin.
« Voyons… » se dit-elle, « Comment ouvre-t-on
un œuf pour le manger ? Il n'y a aucun trou. »
Verveine essaye de mordre dans la coquille
mais ses dents glissent. De plus en plus
curieux ! Il ne lui reste plus
qu'à s'en servir comme ballon. Pan !
Elle fait rouler l'œuf jusque
dans l'évier. Surprise ! Il s'est ouvert…

8 AVRIL

Des pattes sur la pâte

Maman vient de verser une belle pâte jaune
dans le moule à gâteau. Elle s'apprête à l'enfourner
quand… ding dong ! La sonnerie de la porte
d'entrée retentit. Maman va ouvrir.
Verveine reste seule devant le gâteau.
Hum… La pâte a l'air rudement bon.
Verveine pose la patte dessus et la lèche.
Délicieux ! Elle recommence.
– Verveine ! Oh ! Non ! Tu as touché
à mon gâteau ! s'exclame maman
en revenant dans la cuisine.
« Comment le sait-elle ? » se dit Verveine.
Eh oui ! Ses pattes ont laissé
des traces sur le gâteau !

La soupe

Verveine est très gourmande. C'est simple : elle aime tout !
Le lait, bien sûr, mais aussi la pâte des gâteaux, le fromage,
le bifteck haché, le saucisson, la crème chantilly, la glace fondue…
Mais ce qu'elle préfère, c'est la soupe. Pas n'importe laquelle, attention !
Elle déteste le potage aux champignons ou le consommé de tomate.
Mais elle adore la soupe aux boulettes de viande…
Quand Marc lui donne cette soupe-là, Verveine se frotte
contre ses jambes avec affection. Quel gentil maître !
Et devinez ce qu'elle préfère dans la soupe ?
Les boulettes de viande, bien sûr ! Elle les fait rouler
sous sa patte avant de les manger, c'est encore meilleur !

10 AVRIL

Le pirate

Panache aime jouer au pirate.
Il se met debout à la proue du bateau,
Et entonne une terrible chanson :

« Prenez garde à Panache,
Il est très dangereux.
C'est un pirate valeureux.
Il attaque sans pitié,
Il navigue sans répit
Sur les eaux déchaînées
De jour comme de nuit.
Si vous rencontrez
Ce redoutable héros,
Tremblez, fuyez aussitôt !
Ho ! Ho ! »

11 AVRIL

Le chat de la marine

La péniche de Panache est amarrée
à côté d'un immense bateau muni de canons.
Sur le pont, il y a un chat en uniforme de marin, avec des boutons de cuivre.
– Quel drôle de vêtement ! dit Panache. Pourquoi t'habilles-tu ainsi ?
– Parce que je suis dans la marine, répond le chat.
Tu ne vois pas l'ancre sur ma casquette ?
– Oh ! dit Panache. Qu'est-ce qu'elle veut dire ?
– Que nous sommes des soldats sur la mer.
Panache est très impressionné.
– Tu as livré beaucoup de batailles ? demande-t-il.
– Euh… non, pas encore.
– Et pourquoi ? insiste Panache.
– Parce qu'il n'y a pas de guerre, tout simplement ! répond le chat.
Mais nous nous entraînons au combat tous les jours.
Panache est très déçu. À quoi cela sert-il de porter un uniforme
pour faire semblant ? Il préfère les pirates.

12 AVRIL

À vos ordres, capitaine!

Panache rêve qu'il est capitaine
Sur un grand bateau. Quelle aubaine!
Tous les matelots lui doivent obéissance.
Car c'est lui, le chef. Quelle puissance!

Panache a un bel uniforme bleu
Garni de boutons tout dorés.
Il n'a peur de rien. Il est heureux.
Car il aime commander.

13 AVRIL

Le portier

– Miaou !
Tigrou veut sortir. Papa se lève et va
lui ouvrir la porte. Un moment plus tard,
Tigrou revient. Il veut rentrer.
– Miaou ! appelle-t-il.
Papa se lève encore. Mais au bout d'un quart
d'heure, Tigrou vient miauler dans l'entrée.
Et il n'est pas sorti qu'il veut déjà entrer.
– Je ne suis pas un portier ! dit papa.
Le lendemain, avec une scie, il perce un trou
dans le bas de la porte et y fixe un petit volet.
– Tigrou ! dit-il. Voilà une chatière,
pour que tu entres et sortes comme tu veux.
Et surtout, sans me déranger…
Papa a trouvé une parfaite solution !

14 AVRIL

La chatière

– Miaou ! Je veux sortir ! dit Tigrou.
Machinalement, papa se lève pour lui ouvrir la porte.
Puis il se souvient de la chatière.
– Tigrou, tu n'as plus besoin de moi ! dit-il en se rasseyant.
– Miaou ! insiste Tigrou.
Si papa ne s'intéresse plus à lui, ce n'est plus drôle !
Et puis, il aime bien le voir faire le portier. Chacun son jeu, non ?

78

15 AVRIL

Je t'ai vu !

Dans l'entrée, Tigrou voit la chatière bouger.
Une tête passe sous l'abattant…
Un chat inconnu essaye de rentrer !
Tigrou bondit en montrant les dents.
– Je vais te chasser ! crache-t-il.
L'inconnu recule, effrayé,
et Tigrou se lance à sa poursuite.
Lorsqu'il revient, papa l'attend
en souriant.
– Je t'ai vu, Tigrou ! Tu sais
très bien te servir de la chatière.
Je n'ai plus besoin de t'ouvrir la porte…
Dommage, se dit Tigrou.
Il aimait tellement voir papa
faire le portier !

16 AVRIL

Pauvre Nestor !

Noisette et Nestor
jouent à cache-cache dans le jardin.
Mais la chatte triche. Elle se glisse dans la chatière pour se cacher dans la maison.
Le chien ne la trouvera pas ! Une fois à l'intérieur, elle voit le museau de Nestor pointer
sous l'abattant. Essaie-t-il d'entrer, lui aussi ? Il est bien trop gros ! Oh ! Il est coincé !
Finalement, Nestor se dégage… Mais il emporte la chatière autour de son cou !
– Drôle de collier ! déclare Noisette en le rejoignant dehors.
Pauvre Nestor ! Il est obligé de garder la chatière autour du cou jusqu'au retour de son maître !

Le reflet

Mimosa regarde son reflet dans la mare. Comme elle est belle !
Elle s'admire longuement. De temps en temps, elle lisse ses moustaches
et tourne la tête pour se voir de l'autre côté. Puis elle s'approche…
Elle est aussi belle de loin que de près ! Mais qu'y a-t-il sur son museau ?
Une tache ? Mimosa se penche sur la mare, se penche encore…
Plouf ! Elle est tombée à l'eau ! Furieuse, Mimosa grimpe sur la rive
en s'ébrouant. Elle se tourne une dernière fois pour regarder son reflet.
Quelle tristesse ! Elle est affreuse, maintenant !

18 AVRIL

Mon beau miroir

Mimosa ne cesse d'interroger son miroir magique.
– Suis-je la plus belle ? demande-t-elle.
– Vous êtes vraiment magnifique, répond le miroir.
Oui, c'est bien vous la plus belle !

Ce soir, Laura s'est cachée derrière le miroir.
Lorsque Mimosa vient pour se voir,
Laura attend sa question, puis elle dit :
– Non ! Non ! Ce soir, c'est Laura la plus jolie !

19 AVRIL

Derrière le miroir

Mistigri a peur des miroirs. Chaque fois qu'il en voit un,
il y a un gros chat gris qui le regarde d'un air méchant.
Et il imite tous les mouvements de Mistigri ! Quel affront !
Un jour, Mistigri a une idée. S'il passait derrière le miroir,
il attraperait peut-être l'autre chat ? Il s'avance… Voilà l'ennemi !
À pas de velours, Mistigri tend le museau pour regarder derrière
le cadre. Personne ! Où est passé le gros chat gris ? Le savez-vous ?

20 AVRIL

Un drôle de combat

Mistigri marche dans l'entrée. Soudain,
le chat gris apparaît à côté de lui
dans le miroir ! Mistigri a tellement peur
qu'il donne un grand coup de patte
à son ennemi. Mais ses griffes se heurtent
au miroir.
« Évidemment ! se dit Mistigri.
L'autre chat se trouve derrière la vitre. »
Il lui donne un autre coup pour lui faire peur.
Et un autre encore ! L'ennemi lui rend
coup pour coup… Il est aussi rapide
que Mistigri. Bizarre…
Mais finalement, c'est amusant.
À partir de maintenant, Mistigri jouera
avec ce gros chat gris !

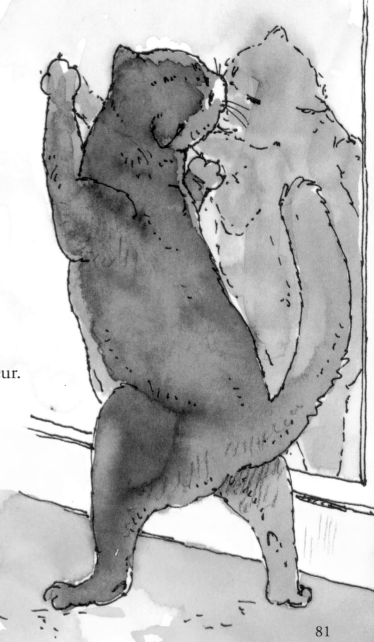

81

Le lutin

Agathe, papa et maman entrent dans la maison.
Il y a de la musique dans le salon. C'est étrange.
– Qui a allumé la radio ? demande papa. Il n'y a personne !
– C'est sans doute un lutin… répond Agathe.
Boléro est tout seul dans le salon. De temps en temps, il appuie sur le bouton
de la radio avec sa patte. Aussitôt, cela fait de la musique. Il adore ce jeu !
Soudain, papa apparaît sur le seuil de la pièce.
– Venez voir ! dit-il. J'ai trouvé notre lutin !
Il prend Boléro dans ses bras et lui caresse la tête.
– Miaou ! fait Boléro.
– Vous savez, dit papa. Un chat qui sait allumer
la radio est tout à fait extraordinaire !

Le piano

Pling ! Plang ! Plong ! Pleng !
Boléro marche sur
les touches du piano.
– Chut ! dit Agathe.
J'écoute la radio !
Elle attrape Boléro
et le pose par terre.
Le chat écoute, lui aussi.
Hé ! Il connaît cette chanson !
Boléro se met à fredonner :
– Miaou miaou ou ou !
– Silence ! ordonne Agathe.
Je n'entends pas !
Mais Boléro continue à
chantonner sous sa moustache.
Que voulez-vous,
il adore la musique !

23 AVRIL

Le violon

« Oh ! Non ! se dit Boléro. Agathe prend
encore cette boîte étrange… »
À l'intérieur, il y a un drôle d'objet.
Lorsqu'Agathe le tient dans ses bras,
elle en tire des bruits épouvantables.
Boléro recule dans un coin de la pièce.
Il ne va pas tarder à partir !
– Sol scratch… Fa scriiiiitch…
Agathe apprend à jouer du violon.
Boléro marche vers la porte.
– Boléro ! Reviens ! ordonne Agathe.
Mais Boléro court dans le couloir.
– Miaou ! fait-il.
Ces bruits lui font mal aux oreilles.
Tant qu'Agathe ne jouera pas mieux,
Boléro préfère s'éloigner.
Il a l'impression d'entendre
des chats qui se battent.
Très peu pour lui !

24 AVRIL

Tigrou monte la garde

Tigrou, sur le mur du jardin,
Monte la garde le matin !
Personne n'oserait le narguer
En essayant là de passer.

Tigrou voit tout et entend tout.
Une feuille bouge ? Il tend l'oreille.
Un papillon sur un caillou ?
Tigrou est là qui le surveille…

25 AVRIL

Une visiteuse

Tigrou s'est caché sous un buisson. Soudain, il entend un bruissement de feuilles…
Alerte ! Il y a un autre chat ! Tigrou se tient prêt à le chasser. Aucun étranger
n'est admis dans le jardin. Comme c'est bizarre… un petit sac à dos émerge
des feuillages. Pourtant, Tigrou a bien reconnu l'odeur d'un chat.
Mais c'est une odeur familière… Oui, c'est son amie Fleur !
– Bonjour ! dit-il. Quel plaisir de te voir ! Comment vas-tu ?
– Très bien, répond Fleur. Mais je meurs de faim !
Tigrou emmène son amie dans la maison. Il lui laisse boire dans sa gamelle
et manger ses croquettes. Puis, les deux chats se couchent dans le panier de Tigrou
et bavardent toute la nuit. Et, le lendemain, Fleur reprend la route du vaste monde !

26 AVRIL

Des fleurs mortes

Ce soir, Tigrou a trouvé un coin parfait
pour monter la garde : au milieu
du parterre de fleurs de maman !
Par chance, les tulipes sont grandes.
Mais pour avoir plus de place, Tigrou
en arrache quelques-unes. Voilà !
Il est bien caché, à présent. La nuit passe
sans aucune alerte. Les chats du voisinage
savent que le jardin est bien gardé !
Mais lorsque maman se lève, le matin,
elle voit un grand trou dans son parterre.
Et des tulipes sont arrachées. Elle court dehors,
en chemise de nuit, et voit les empreintes
de chat sur la terre…
– Tigrou ! crie-t-elle. Tu n'as pas bien
monté la garde ! Le chat d'à côté
a dévasté mes plates-bandes !
Tigrou ne dit rien. Heureusement,
maman n'a rien deviné ! Sinon, elle serait
très fâchée… Mais quel dommage !
C'était la meilleure cachette du jardin !

27 AVRIL

La cabane dans les arbres

Mistigri entend de drôles de bruits,
dans le jardin. Pan, pan, pan!
Il se précipite. Caroline est debout
devant un arbre. Il y a une échelle
contre le tronc… Soudain, les bruits
s'arrêtent et papa descend par l'échelle.
– C'est terminé, Caroline, dit-il.
Tu peux monter, maintenant!
– Viens vite, Mistigri! appelle Caroline.
Elle met Mistigri dans son gilet et grimpe
sur l'échelle. Bientôt, ils arrivent dans
une petite maison… Que c'est mignon!
Cela sent bon le bois et il a une vue
imprenable sur le jardin. Lorsque la nuit
tombe, Caroline met de nouveau Mistigri
dans son gilet et redescend par l'échelle.
Mistigri adore cette petite maison
dans les arbres! Il veut vite y retourner!

28 AVRIL

Mistigri haut perché

Mistigri est sorti dans le jardin
car il a très envie de retourner
dans la petite maison de l'arbre…
Même si Caroline dit qu'il n'a pas
le droit d'y aller tout seul.
Il regarde tout autour de lui. Personne!
Hop! Il grimpe dans l'arbre.
Bizarre… Il n'y a pas de cabane, ici.
Oh! Il s'est trompé d'arbre.
Maintenant, il est très haut.
Comment redescendre?
– Miaou! appelle-t-il.
Qui viendra le sauver?

29 AVRIL

Les pompiers

Caroline a entendu Mistigri appeler à l'aide. Il est monté dans l'arbre le plus haut
du jardin! Il a très peur, là-haut. Il miaule sans arrêt… Heureusement,
maman sait ce qu'il faut faire. Bientôt, on entend la sirène des pompiers.
Pin-pon! Pin-pon! Un gros camion rouge apparaît au tournant de la rue.
Il y a une lumière bleue sur le toit. Le camion s'arrête devant la maison.
Un homme descend. Il porte une grosse veste bleue et un casque.
Il pose une très longue échelle contre l'arbre et commence à grimper.
Quelques minutes plus tard, il redescend en tenant Mistigri serré contre lui.
Le chat tremble comme une feuille morte. Caroline le prend dans ses bras.
– Merci beaucoup, monsieur le pompier!
s'écrie-t-elle en lui serrant la main.
Tout est bien qui finit bien.

30 AVRIL

Des chats et des arbres

Les chats n'ont pas de soucis.
Ils s'amusent dans le jardin.
Jamais ils ne s'ennuient!
Ils grimpent dans le sapin,

Ou bien dans le châtaignier.
Mais parfois ils oublient
Que de là-haut, il faut sauter.
Oh la la! Quelle folie!

À la ferme

Doudou, le chat du fermier
Est heureux. C'est très joli, ici!
Les fleurs posent mille couleurs dorées,
Sur l'herbe tendre et les agneaux
Sautent gaiement dans la prairie.

Il y a aussi les poneys, les veaux,
Les poussins et les lapins…
C'est un petit paradis sans souci!
Même le fermier est gentil
Et siffle un air joyeux sur le chemin.

2 MAI

Drôle de chat!

Aujourd'hui, Doudou est allé dans le pré. Il s'y passe des choses bizarres.
De petits animaux blancs sautent sur l'herbe. Doudou s'approche.
Ce sont d'adorables agneaux. Mais à quoi jouent-ils?
– Pourquoi sautez-vous ainsi? demande Doudou.
– Bêêê, c'est pour nous amuser, pardi! répond l'un d'eux.
Et puis, je ne sais pas très bien marcher. En fait, je gambade…
Très intéressé, Doudou regarde l'agneau s'élancer de nouveau sur l'herbe.
– Veux-tu essayer? demande l'agneau.
Quelle bonne idée! Doudou imite ses nouveaux amis et caracole
dans le pré. Hop! hop! Comme c'est amusant de jouer à l'agneau…

Le petit veau

– Viens voir, Doudou! appelle le fermier qui est dans l'étable.
Doudou s'approche. Qu'y a-t-il là, sur un grand tas de paille?
– C'est un petit veau qui vient de naître, explique son maître.
Doudou s'approche encore. Comme il est mignon,
ce drôle de bébé! Sa maman la vache le lèche avec
tendresse, car il est mouillé. Dès qu'il est sec,
il essaye de se mettre debout. Ce n'est pas
facile de se tenir sur ces longues pattes!
Le veau chancelle et tombe de côté.
Mais au bout de plusieurs essais,
il parvient à se lever. Sa maman lui donne
un grand coup de langue sur la tête, pour
le récompenser. Puis le veau se met à téter.
Doudou est très content. Vivement que
le veau grandisse pour jouer avec lui!

4 MAI

La brosse

Neige perd ses poils. Alors Maxime a décidé de la brosser.
Il fait très doucement, car elle n'aime pas ça. Elle essaye de repousser
la brosse avec sa patte, elle tourne la tête… Maxime est obligé
de la tenir solidement. Sinon, elle s'échapperait!
Heureusement, Maxime a presque terminé. C'était nécessaire!
Il y a beaucoup de poils sur la brosse. Maxime va les jeter
en boule à la poubelle. Mais soudain, un oiseau vole vers lui
et emporte la boule de poils dans son bec. Maxime est très surpris.
Mais Neige, elle, a compris. L'oiseau va utiliser cette fourrure
pour garnir son nid!

5 MAI

Derrière la fenêtre

– Que tu es paresseuse, Pomponnette ! dit Arnaud. Les chats doivent chasser
les souris et les oiseaux. Toi, tu dors tout le temps !
Pomponnette continue à ronronner. Son maître lui fait toujours
les mêmes reproches… Et elle s'en moque !
– Tu ne te bats même pas avec les autres chats, continue Arnaud.
Tu restes derrière la fenêtre, à te chauffer au soleil. J'en ai assez…
Maxime prend Pomponnette dans ses bras pour l'emmener dans le jardin.
– Cours ! ordonne-t-il. Chasse !
Pomponnette s'avance à pas lents et s'étire longuement. Il fait bon au soleil.
Des oiseaux viennent picorer l'herbe à côté d'elle, mais Pomponnette
les regarde sans broncher. À quoi bon bouger ? De toute façon, ces oiseaux
finiront bien par s'envoler ! Elle préfère se prélasser. Quelle paresseuse !

6 MAI

Vive le mois de mai !

Deux petits veaux dans le pré,
Deux petits agneaux nouveaux…
Deux petits poneys dans l'enclos,
Un gros chat chez le fermier,
Et dix poussins dans le poulailler.
Qu'il est joli, le mois de mai !

Le rebord

Mistigri est assis devant la fenêtre de la chambre. « À quoi sert cette marche ? »
se demande-t-il. Curieux, Mistigri passe la tête au-dehors. Mais oui,
ce drôle de petit mur conduit jusqu'à la fenêtre voisine. S'il marchait dessus ?
Bien sûr, c'est très haut et très étroit. Mais Mistigri n'a pas peur.
Il pose une patte, puis l'autre, et se retrouve sur le rebord. Il arrive enfin
devant la fenêtre voisine. Quelle malchance ! La fenêtre est fermée.
Il faut revenir en arrière. Comment faire ? Mistigri n'a pas la place de tourner.
Quant à reculer, il n'en est pas question… Il tomberait dans le vide.
– Miaou ! appelle-t-il.
Par chance, Caroline l'entend. Elle va vite prévenir le voisin.
Il monte dans sa chambre, ouvre la fenêtre et prend Mistigri dans ses bras.
– Gros bêta ! dit Caroline. La prochaine fois, il faudra réfléchir
avant de te lancer ainsi à l'aventure !

Mimosa s'amuse

Mimosa a fait une grande toilette
aujourd'hui. Elle s'est léchée avec soin
et sa maîtresse lui a mis un joli nœud autour
du cou. Très fière, elle sort dans le jardin.
Quel soleil merveilleux ! Un papillon vient
se poser sur l'herbe tendre. Tout est parfait.
« Trop parfait », se dit soudain Mimosa.
Elle a envie de faire quelque chose
de déraisonnable. Quelque chose qui
ne convient pas du tout à une dame chat !
Mimosa regarde autour d'elle. Personne en
vue… D'un bond, elle se lance sur l'herbe
pour faire une galipette. Elle se roule,
se tourne, se frotte contre l'herbe. Elle s'en
donne à cœur joie ! Lorsqu'elle est fatiguée,
elle remet son nœud en place et lèche
son pelage. Et voilà. Elle est redevenue
une dame chat très comme il faut !

9 MAI

À quoi penses-tu ?

Paresseuse Pomponnette
Qui ne pense qu'à sa toilette,
Tes journées sont bien tranquilles,
Perchée sur la fenêtre, immobile !

À quoi penses-tu, à quoi rêves-tu,
Roulée en boule jusqu'au soir ?
À la bonne pâtée attendue,
Au bon lait chaud couleur d'ivoire
Qui sont ton menu quotidien ?

Mais Pomponnette ne répond pas.
Elle ouvre un œil et se rendort.
On l'entend ronronner tout bas.
Elle est heureuse. Quelle vie en or !

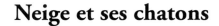

10 MAI

Neige et ses chatons

– Maxime! Viens voir ici!
appelle maman.
Neige est couchée dans un carton,
dans un coin du salon. Blottis
autour d'elle, il y a six petits chatons
nouveau-nés. Ils ont encore
les yeux fermés et se serrent contre
leur maman. Quelques-uns ont
déjà commencé à téter. Quand
ils sont rassasiés, ils s'endorment.
Maxime leur caresse la tête,
tout doucement. Neige le surveille…
Il ne faut pas effrayer ses petits!
C'est une maman très attentive.
Et très fière de ses chatons!

11 MAI

Neige ne veut pas manger

– Maman! dit Maxime. Neige ne veut pas manger!
Elle n'a pas touché à sa pâtée.
– Elle ne veut pas laisser ses chatons, dit maman.
Apportons-lui un peu de lait.
Mais lorsque maman pose le bol de lait devant Neige,
celle-ci se met à cracher.
– Elle a peur qu'on s'approche de ses chatons, explique maman.
Essaye, toi…
Maxime se penche sur le panier et caresse Neige.
Elle ronronne et lape son lait. Désormais, lorsqu'elle a faim,
Neige appelle son petit maître.
– Miaou! Miaou!
Au bout de quelques jours, Neige accepte de venir à la cuisine.
Mais elle ne reste pas longtemps. Il faut qu'elle surveille ses chatons!

12 MAI

Faire des bêtises

Maxime ne cesse d'entrer et de sortir de la maison.
Il est très énervé ce matin. Papa en a assez!
– Arrête un peu! s'écrie-t-il. Je lis le journal.
Maxime veut regarder les petits chats. Neige s'occupe
beaucoup d'eux. Leurs yeux se sont ouverts
et ils ne pensent qu'à s'amuser. Ils courent et roulent
les uns sur les autres. Ils jouent avec tout ce qu'ils
trouvent. Le fil du téléphone, un livre, un ballon,
un rouleau de papier, la queue de leur maman,
n'importe quoi! Parfois, les chatons s'éloignent trop
de la maison. Alors Neige les ramasse dans sa gueule
et les ramène. C'est beaucoup de travail.
Heureusement, Maxime l'aide quelquefois.
– Arrêtez un peu! dit-il, comme son papa.
Il faut bien que quelqu'un gronde les petits chats.
Sinon, ils deviendraient des polissons!

13 MAI

Le dernier chaton

Les chatons ont grandi. Un à un, ils s'en vont chez de nouveaux maîtres.
Neige n'aime guère cela. Ses bébés lui manquent. Quand il n'en reste
plus qu'un, elle court le cacher dans le jardin. Celui-là, elle ne veut pas
le donner! Maxime est très triste. Il pense que le petit chaton s'est enfui.
Mais quelques semaines plus tard, Neige le ramène. Le chaton a grandi!
Sa maman lui a porté à manger tous les jours. Seulement, il ne peut pas
rester. Par chance, le voisin est d'accord pour le prendre chez lui.
Comme cela, il pourra voir Neige tous les jours et jouer avec Maxime!

La chanson de la pluie

Les chats n'aiment pas la pluie
Parce qu'ils n'ont pas de parapluie…
Alors où se mettre à l'abri
Quand l'eau tombe du ciel par magie ?

Mais Fleur adore les averses.
Elle joue avec les gouttes d'eau.
Et dès qu'il fait beau de nouveau,
Elle se sèche au soleil. Quelle ivresse !

Une journée de pluie

Aujourd'hui, il pleut. Marc dessine.
– Miaou! dit Verveine, qui veut sortir.
– Non, dit Marc. Personne ne sort sous la pluie.
Mais Verveine miaule tellement
que Marc ouvre la porte qui donne sur le jardin.
Verveine reste un instant sur le seuil, puis recule.
Elle n'a pas envie de se mouiller.
Alors elle va devant la porte d'entrée.
– Miaou! appelle-t-elle.
– Tu sais, il pleut de ce côté-là aussi, dit Marc.
Mais de nouveau, Verveine miaule
jusqu'à ce que son maître lui cède.
En voyant le rideau de pluie
qui tombe devant la maison,
Verveine recule d'un air boudeur.
Quel temps impossible!

L'arc-en-ciel

La pluie vient de cesser.
De timides rayons de soleil percent les nuages.
Fleur se prélasse dans l'herbe pour se sécher.
Elle a joué longtemps avec les gouttes d'eau!
Elle reprend son sac à dos, qu'elle avait mis
à l'abri sous un buisson. Soudain, elle voit
un arc-en-ciel à l'horizon. Qu'il est beau!
Et comme elle aimerait toucher ses couleurs…
Aussitôt, elle décide d'aller à sa rencontre.
Mais il est très loin. Fleur l'atteindra-t-elle
avant qu'il ne disparaisse?

L'Indien

Martin et Noisette jouent aux Indiens et aux cow-boys. C'est Martin le cow-boy.
Il a un chapeau et un pistolet. Il a peint des rayures bleues et rouges
de chaque côté du museau de Noisette. Il lui a aussi attaché une plume sur la tête.
Quel Indien superbe!
– Maintenant, je vais t'attraper! s'écrie-t-il.
Et il poursuit le chat dans le jardin. Pan! Pan! Il tire avec son pistolet.
Il court autour de l'arbre, des buissons, des parterres. Pan! Pan! Que c'est amusant!
Noisette finit par grimper dans l'arbre pour se cacher…
– Eh! Ce n'est pas juste! proteste Martin. Je ne peux pas grimper là-haut, moi.
Mais Noisette ne montre pas le bout de son museau. Elle n'a pas de pistolet pour
se défendre! Au bout d'un moment, Martin se lasse d'attendre au pied de l'arbre.
– Si on fumait le calumet de la paix? propose-t-il.

Le chapeau de cow-boy

Aujourd'hui, Marc veut jouer aux cow-boys.
Il a coiffé Verveine d'un grand chapeau.
On ne la voit presque plus, là-dessous!
Le bord glisse tout le temps sur ses yeux
et Verveine se cogne partout.
Mais Marc insiste pour qu'elle le garde.
Sans chapeau, la chatte ne serait plus
un cow-boy! Oui, mais elle ne voit rien…
– Bon! soupire Martin. D'accord, enlève-le…
On va jouer au chat. Verveine est ravie.
Pour cela, elle n'a plus besoin de chapeau!

Sous la tente

Papa a installé une tente dans le jardin pour Maxime et Neige.
Ils y jouent toute la journée. Le soir, au dîner,
Maxime aimerait bien demander quelque chose… Mais il n'ose pas !
– Qu'est-ce qui ne va pas, Maxime ? demande maman.
– Est-ce que je pourrais dormir sous la tente avec Neige, ce soir ?
– Je crois que tu es assez grand pour cela, répond papa.
Il va chercher un matelas pneumatique et un sac de couchage dans le grenier.
Une fois couché sous la tente, Maxime est si content qu'il a du mal à s'endormir.
– Nous ressemblons à de grands voyageurs ! dit-il.
Neige est d'accord. Elle ronronne doucement, au pied de son jeune maître.
Lorsque ses parents passent un peu plus tard, le petit garçon dort.
Mais Neige est tout à fait réveillée.
– Elle monte la garde, dit papa. Nous pouvons compter sur elle !

Un passager clandestin

Agathe et maman font du vélo et Boléro
s'est caché dans la sacoche du porte-bagages.
Bien sûr, maman ne voit pas la petite tête
de Boléro qui dépasse de la sacoche !
Mais Agathe s'amuse beaucoup !
– Pourquoi ris-tu ? demande maman.
– Pour rien, répond Agathe en faisant
un clin d'œil à son petit chat.
Lorsque maman et Agathe s'arrêtent
pour se reposer, Boléro enfonce vite
sa tête dans la sacoche. Puis,
une fois arrivés à la maison,
Agathe et sa maman rangent les vélos
dans le garage. Un peu plus tard,
Agathe va chercher Boléro.
– Tu ne diras rien, n'est-ce pas ?
murmure-t-elle à l'oreille du chat.
C'est notre secret !

Une fleur au collier

Tigrou aime beaucoup jouer dehors. Aujourd'hui, il se rend dans un pré.
Tigrou bondit d'une fleur à l'autre… De temps en temps, un brin d'herbe
lui chatouille les narines et le fait éternuer. Peu importe ! Tigrou continue à jouer.
Il se roule au milieu des fleurs. Mais lorsqu'il veut se relever, il a une tige coincée
dans son collier anti-puces. Tigrou est prisonnier d'une fleur ! Le chat tire
et tire encore, jusqu'à ce que la tige casse. Mais la fleur reste dans son collier.
Finalement, c'est une jolie parure !

Dans la brouette

Aujourd'hui, papa arrache les mauvaises herbes.
Martin est chargé de ramasser les débris. Il les met dans la brouette
puis va les jeter au fond du jardin.
Pendant que papa et Martin vont boire, Noisette saute
dans la brouette. Elle se fait un petit creux au milieu des feuilles et des herbes.
Hum, quel matelas douillet! Lorsque Martin et papa reviennent,
ils jettent d'autres brindilles dans la brouette. Mais Noisette dort profondément.
– Va vider la brouette, Martin! dit papa. Elle devient lourde.
Martin obéit. Mais soudain, Noisette émerge de son nid. Martin est très surpris.
Quant à maman, elle a tout vu.
– Surtout ne rentre pas avant de t'être nettoyée, Noisette! dit-elle.
Trop tard! Noisette a déjà filé sur le canapé du salon! Elle veut finir sa sieste, bien sûr!

23 MAI

Pomponnette et son régime

– Pomponnette, tu es au régime ! déclare Arnaud.
Tu es beaucoup trop grosse !
Pomponnette n'est pas du tout de cet avis.
Elle aime tellement manger ! Lorsqu'arrive
l'heure de son dîner, Pomponnette ne trouve
qu'une petite ration dans sa gamelle.
Et en plus, ce n'est pas une très bonne pâtée !
– Miaou ! gémit-elle.
Mais Arnaud ne cède pas. Papa et maman
non plus. La pauvre Pomponnette va
donc dormir sans manger. Le matin,
elle court jusqu'à la cuisine. Aura-t-elle
sa ration habituelle, aujourd'hui ?
Hélas, non ! Il n'y a que cette horrible
nourriture de régime. Le soir, c'est pareil.
Pomponnette en a assez. « Demain,
décide-t-elle, j'irai chercher
ma nourriture moi-même ! »

24 MAI

La solution de Pomponnette

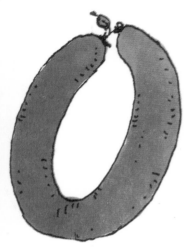

La voisine n'est pas contente. Pomponnette a mangé
toute la nourriture de son chat. Et elle a aussi volé un morceau
de leur jambon ! Sur son coussin, Pomponnette se lèche
les babines. Ce jambon était délicieux !
– Pomponnette ! s'écrie Arnaud. Comment as-tu pu
voler chez les voisins ?
Arnaud trouvait bizarre que sa chatte ne mange plus. Elle buvait
seulement l'eau de son bol… Et pourtant, elle ne maigrissait pas !
Il est furieux, mais Pomponnette se moque de savoir si la nourriture
est à son maître ou à son voisin… Il faut bien manger !
Eh oui, Arnaud ! Voilà comment raisonnent les chats !

25 MAI

Pomponnette ne maigrit pas

Depuis qu'elle est au régime, Pomponnette ne mange plus
chez son maître. Elle en a assez de voir cette pâtée sans goût
dans sa gamelle! Elle a trouvé le moyen de bien manger.
Cette semaine, un couple est venu s'installer dans la maison d'à côté.
Alors Pomponnette a volé dans leur placard! Ils ne sont pas contents.
Papa, maman et Arnaud ne savent plus quoi faire.
Cela ne peut pas continuer ainsi! Il n'y a qu'une seule solution…
Nourrir Pomponnette comme autrefois. Elle a gagné! Elle ne maigrira pas.
Ce soir, Pomponnette a une très bonne surprise. Dans sa gamelle,
il y a sa pâtée favorite! Et en grande quantité…
Rassasiée, Pomponnette va se coucher sur son coussin favori.
«Quel plaisir de manger chez soi!» se dit-elle.
Elle n'a plus besoin de sortir, ni de se cacher…
Maintenant, elle va pouvoir passer ses journées à dormir, comme avant!

26 MAI

Une devinette

Tous les chats ont un oncle.
On ne le rencontre pas dans la rue,
mais au cirque, ou bien au zoo.
Cet oncle est beaucoup plus gros
qu'un chat. Et ses griffes sont longues
et acérées. Son pelage est jaune,
avec des rayures et lorsqu'il ouvre
la gueule, ce n'est pas pour miauler
mais pour rugir. Brrr !
Quel son effrayant ! Même les chats
ont peur de leur oncle. Avez-vous
deviné de quel animal il s'agit ?

27 MAI

Une tasse de thé

Réglisse est invité à prendre le thé chez Mimosa.
Comme d'habitude, Mimosa est très fière de son élégance.
– Ici, mon cher, nous sommes dans une maison qui a de la classe.
Tous les jours, nous prenons le thé dans des tasses. Nous ne lapons pas dans un bol !
« Quelle snob ! » se dit Réglisse. « Je vais lui donner une leçon. »
– Eh bien, chez moi aussi, nous buvons tous les jours dans une tasse, s'écrie-t-il.
Mimosa voit bien que ce n'est pas vrai. Réglisse ne sait même pas tenir
une tasse dans sa patte ! Il renverse presque tout son thé sur le sol…
Mimosa, elle, a l'habitude. Pas une goutte ne tombe.
En fait, elle s'entraîne depuis longtemps pour impressionner son ami…
Mimosa ne sait pas quoi inventer pour être originale !

Le cousin Lion

Aujourd'hui, Réglisse fait une toilette spéciale. Mimosa vient lui rendre visite.
Pas question d'être négligé! Mimosa le remarquerait tout de suite.
– Toc, toc… On frappe à la chatière. Réglisse fait rentrer Mimosa
et lui montre sa maison avec fierté.
– Regarde, dit-il. Sur le papier peint, près de mon panier,
il y a mon cousin le lion. C'est le roi des animaux, tu sais.
Il vient souvent me voir.
– Vraiment? fait Mimosa. Les gens n'ont pas peur de lui?
– Il vient seulement la nuit et passe par la chatière, répond Réglisse.
Il ne frappe jamais, car on pourrait l'entendre.
Mimosa a envie de rire. Réglisse a inventé
cette histoire pour l'impressionner.
Comment un lion pourrait-il
passer par une chatière?
Il est beaucoup trop gros!

Le sabot

Tut! Tut! En entendant l'appel du capitaine,
l'éclusier ouvre l'écluse.
– Tiens, Panache! Donne-lui l'argent! dit le capitaine.
L'éclusier leur tend un sabot de bois,
suspendu à une corde. Le sabot se balance devant
la tête de Panache. Mais pour y mettre la pièce
que lui a donnée le capitaine,
Panache doit s'accrocher au rebord du sabot.
Soudain, il s'envole…
L'éclusier ramène déjà la corde à lui!
– Drôle d'argent! dit-il en découvrant
le chat accroché au sabot.
Le capitaine doit arrêter le bateau
pour venir chercher Panache.
– J'espère qu'il n'y aura pas trop d'écluses
sur notre chemin! dit-il en riant.
Panache aussi. C'est effrayant,
d'être soulevé ainsi dans les airs!

30 MAI

La cargaison

Une délicieuse odeur monte de la cale de la péniche.
Panache aimerait bien y descendre. Mais il a beau miauler,
le capitaine refuse. «Ce n'est pas juste!» se dit Panache.
D'habitude, son maître le laisse aller où il veut.
Alors, pourquoi pas maintenant? Lorsque le capitaine
décharge leur cargaison au port, Panache comprend enfin.
Ils transportaient de la nourriture pour chats!
Il y avait des milliers de boîtes!
– Tu comprends, maintenant? demande le capitaine.
Si je t'avais laissé dans la cale, tu aurais mangé la moitié de notre cargaison!

31 MAI

Le pied marin

Panache, pourquoi marches-tu ainsi ?
Tu me donnes le tournis !
Lui a dit un ami
Qu'il a vu aujourd'hui.

Sur un bateau, il y a du roulis,
Explique Panache. Pas question
De tomber sur le pont !
Alors je marche en me balançant

De gauche à droite, contre le vent,
Maintenant, j'ai le pied marin.
Je marche ainsi soir et matin,
Je suis un vrai marin, enfin !

1er JUIN

Un jeune chat

Réglisse fait toujours des bêtises. C'est plus fort que lui !
Aujourd'hui, il a renversé le landau de la poupée de Marie.
– Tu ne peux pas faire attention ? dit Marie. Où cours-tu ainsi ?
Mais Réglisse la regarde avec de grands yeux et ne dit rien.
– Il ne peut pas s'en empêcher, explique maman.
Les jeunes chats sont toujours un peu fous. Ils ne pensent qu'à s'amuser.
Il faut qu'ils courent, qu'ils sautent, qu'ils grimpent un peu partout.
C'est pour cela qu'ils restent si minces d'ailleurs.
Marie réfléchit quelques instants.
– Maman, il y a beaucoup de dames qui aimeraient être
de jeunes chats, n'est-ce pas ?
Maman éclate de rire.
– C'est possible, en effet ! dit-elle.

2 JUIN

Pomponnette et Réglisse

Pomponnette fait la sieste sur l'herbe. Elle ronronne. Elle est si bien !
Le soleil chauffe son pelage, les oiseaux chantent
et elle a eu un bon morceau de saucisse pour déjeuner…
« Miaou ! » se dit Pomponnette en se roulant dans l'herbe.
« Que la vie est belle ! ». Elle s'étire, bâille et reprend sa sieste.
Soudain, un chat blanc et noir bondit sur la clôture. C'est Réglisse.
Il est en train de chasser des oiseaux. En sautant, il aperçoit
Pomponnette. « Si je taquinais cette grosse paresseuse ? » se dit-il.
Il bondit près d'elle et miaule très fort.
– Réveille-toi, Pomponnette ! Ta sieste est finie !
Puis il s'enfuit à toutes pattes… Quel coquin !

3 JUIN

Mimosa et le sandwich

Mimosa est une chatte très distinguée. Toute la journée, elle fait sa toilette
et se regarde dans le miroir. Mais, en réalité, Mimosa est un vrai petit diable.
Quand personne ne la voit, évidemment. Aujourd'hui, elle a aperçu un sandwich
sur la table du jardin. Et pas n'importe lequel… Un sandwich au fromage,
son préféré ! Quelle aubaine ! Il est là sur une assiette, et il attend qu'on le mange.
Mimosa regarde autour d'elle. Personne en vue… Un, deux… et trois !
Elle s'empare du sandwich et s'enfuit dans un coin du jardin.
Qui aurait cru cela d'une chatte aussi parfaite ?

4 JUIN

Un gourmand

« Miaou, dit mon chat,
J'aime ma pâtée au foie
Mais ce que tu manges là
A l'air très appétissant !
Pourrais-tu m'en donner
Un petit bout, s'il te plaît ?
C'est bien tentant,
Cette saucisse dorée… »
Et il insiste tant et tant
Qu'il finit mon déjeuner.
Quel gourmand !

La mésange

Boléro est fou de joie. Maman Mésange est en train d'apprendre à voler à ses petits!
Un par un, ils volettent du buisson d'aubépines au poirier. Parfois,
ils n'arrivent pas à aller jusqu'au bout. En voilà un qui tombe sur l'herbe!
Boléro se glisse par la chatière. Vite! Il pourra peut-être l'attraper!
Mais Agathe a vu son chat sortir dans le jardin.
– Boléro! crie-t-elle. Reviens tout de suite! Et laisse ces petits oiseaux tranquilles.
«Quel dommage!» se dit Boléro. Il allait se régaler…

6 JUIN

Mimosa et le soleil

Mimosa est tellement propre
qu'elle ne veut jamais sortir.
Dehors, elle pourrait se salir!
Mais aujourd'hui, il fait très beau.
Le soleil brille. Tout le monde s'amuse.
Sauf Mimosa, bien sûr. Elle reste bien
à l'abri sur le rebord de la fenêtre,
parmi les pots de fleurs. Elle voit son ami
Réglisse, qui joue dans l'herbe. Il pourchasse
un papillon… Dans le jardin des voisins,
son ami Tigrou se chauffe au soleil.
C'en est trop! Mimosa court à la porte
de la maison. Elle veut sortir, elle aussi!
«S'il le faut, je passerai la soirée à faire
ma toilette», décide-t-elle avant de s'élancer
au-dehors. Amuse-toi bien, Mimosa!

Doudou est amoureux

Doudou est toujours dehors. Il ne rentre chez lui que pour manger.
Pourquoi? Eh bien, par ce beau temps, toutes les chattes sortent aussi…
Et elles se mettent sur leur trente et un. Doudou en perd la tête.
Jour et nuit, il court les jardins pour rencontrer de belles demoiselles.
– C'est bizarre, dit la femme du fermier.
Je n'ai pas vu Doudou depuis plusieurs jours.
– Ne t'inquiète pas, dit le fermier. Il est amoureux, voilà tout!
Amoureux? Oui, mais de qui? Doudou lui-même ne le sait pas.
Aime-t-il Mimosa? Ou Noisette? Ou Verveine?
Elles sont toutes très jolies. Laquelle choisir?

Une douche froide

Doudou vagabonde depuis plusieurs jours.
Il a maigri à force de marcher et de sauter des repas.
Il ne revient même plus dormir à la ferme.
Il est tombé amoureux de la plus jolie
des demoiselles chattes… Neige!
Ce soir, il lui chante une chanson d'amour,
au milieu de son jardin.
– Miaouuou ou ou ou ou…
Miaou ou ou ou…
À force de miauler, Doudou
réveille Maxime, le maître de Neige.
Maxime va chercher un seau d'eau froide,
ouvre la fenêtre de sa chambre et…
Plouf! Il lance l'eau sur ce pauvre Doudou!
Le chat est trempé. Quelle douche!

9 JUIN

La sérénade

Doudou est amoureux fou.
Il ne dort plus, ne mange plus.
Il ne pense qu'à chanter : « Miaou !
Miaou ! Neige, m'aimes-tu ? »
Voyons, Doudou, il fait nuit
Et Neige est endormie…
Son maître aussi, d'ailleurs. Enfin, il l'était.
Doudou l'a réveillé !
La sérénade ne lui plaît pas du tout.
Maxime croit que Doudou est fou !

10 JUIN

Neige et son amoureux

Neige dort profondément.
Soudain, elle entend
un bruit dans le jardin.
Serait-ce un voleur ? Vite,
elle se glisse par la chatière.
Et que voit-elle ?
Doudou, au milieu de la pelouse, tout mouillé !
– Qu'est-il arrivé, Doudou ? demande-t-elle.
Le chat a complètement oublié qu'il a reçu une douche froide.
Il ne voit plus que sa bien-aimée. Elle est là, devant lui !
– Que fais-tu ici ? insiste Neige. Tu es trempé !
– Miaou, Neige, ce n'est qu'un peu d'eau, murmure Doudou.
Je voulais seulement te voir…
Neige est gênée. Il aurait pu se sécher avant de venir
lui rendre visite. « Quel drôle de chat… » se dit-elle.

11 JUIN

Un pensionnaire

– Aujourd'hui, nous allons avoir un pensionnaire chat! dit Agathe.
Boléro n'est pas content. Il va falloir tout partager avec le nouveau venu:
sa nourriture, son panier, son fauteuil… Il ne sera plus chez lui! Agathe le gronde.
– Voyons, Boléro, tu auras un compagnon de jeu!
Et le soir, tu pourras bavarder avec ton ami avant de t'endormir.
On sonne à la porte. C'est Caroline. Elle tient un grand panier de voyage à la main.
– Ah! Voilà notre pensionnaire! dit Agathe. Bienvenue chez nous…
Regarde, Boléro. Tu te souviens de Mistigri, n'est-ce pas?
Boléro est ravi. Quel plaisir de revoir son vieil ami Mistigri!
Ils se frottent le museau en miaulant. Agathe et Caroline applaudissent.
– Ils vont bien s'amuser, dit Agathe.
– Et nous aussi! dit Caroline.

12 JUIN

Le panier de voyage

Pas question de rentrer
dans ce panier. Moi, voyager?
Et pour quoi faire?
Je suis bien, dans ma maison.
J'attrape les souris,
je mange mes croquettes…
Et puis, ce panier est beaucoup
trop petit. Une fois dedans,
j'ai beau miauler et appeler,
personne ne vient me délivrer.
Il faut rester coincé
dedans jusqu'à l'arrivée…
Très peu pour moi!

13 JUIN

Une nuit de chat

La lune est haute dans le ciel.
Il fait nuit depuis longtemps.
Tout le monde dort. Tout le monde,
sauf Réglisse ! Les vrais matous
ne dorment pas la nuit. Ils vont chasser
ou se battre avec les autres chats.
Réglisse pénètre dans le jardin voisin.
D'un bond, il saute dans le parterre
de fleurs. La terre est si douce, ici !
Elle est très agréable sous ses pattes.
Réglisse creuse, creuse, creuse encore.
– Miaou ! Que fais-tu dans mon jardin ?
Réglisse sursaute. Un autre chat, ici ?
C'est impossible ! Il sort du parterre
en montrant les dents.
Réglisse va-t-il se battre ?

14 JUIN

Une bagarre

Réglisse a l'habitude de jouer dans le jardin d'à côté. Aucun chat n'y habite.
Mais aujourd'hui, voilà qu'il a un voisin !
– C'est mon jardin ! déclare-t-il, furieux.
Il fait le gros dos et gonfle sa queue.
Mais l'autre chat n'a pas l'intention de se laisser impressionner.
– Va-t'en ! crie-t-il en montrant les dents.
Réglisse contemple son ennemi pendant quelques instants, puis hop !
Il lui saute dessus. C'est la bagarre. Les deux chats roulent dans l'herbe.
Quand ils en ont assez, ils s'arrêtent. Réglisse rentre chez lui en courant.
Et l'autre chat va dormir lui aussi ! Cette bagarre l'a épuisé !

Dehors pour la première fois

Marine a une petite chatte. C'est une fille de Neige. Elle est rousse,
avec le ventre et le bout des pattes blanc. Marine l'a appelée Roussette.
Mais Roussette doit apprendre à connaître sa nouvelle maison.
Pendant une semaine, elle reste à l'intérieur.
Enfin, Marine lui permet de sortir pour la première fois.
— Viens ! dit Marine en ouvrant la porte.
Roussette met une patte dehors, puis une autre.
« Quelles merveilleuses odeurs ! » se dit-elle en reniflant l'air frais.
C'est l'odeur des fleurs, des arbres, de l'herbe.
Elle cligne des yeux au soleil.
— Suis-moi ! insiste Marine.
Roussette ne se fait pas prier. Ce jardin a l'air très intéressant !

16 JUIN

Toute neuve

Ma petite chatte a des yeux noirs
Un pelage roux, de petites oreilles.
D'un rien, elle s'émerveille.
Elle aperçoit une coccinelle :
« Oh ! se dit-elle. Qu'elle est belle ! »
Ma petite chatte a le ventre blanc
Et de toutes petites dents.
Elle découvre le jardin.
Si elle fait des bêtises,
Que voulez-vous que je vous dise ?
Elle est toute neuve, c'est certain !

17 JUIN

Perdue

Marine est très inquiète. Il fait nuit et Roussette n'est pas encore rentrée.
– Roussette ! Minette ! appelle Marine.
Mais aucun signe d'une petite chatte rousse aux pattes blanches…
« Elle a dû beaucoup s'éloigner de la maison, se dit Marine.
Et maintenant, elle ne peut plus retrouver son chemin ! »
Eh oui ! Roussette s'est perdue… Elle a beau miauler,
sa maîtresse ne l'entend pas. Soudain, Roussette tend l'oreille.
On dirait que quelqu'un cogne sur sa gamelle. Vite, elle court
en direction du bruit. C'est Marine qui frappe sur sa gamelle
avec une fourchette. Comme elle est contente de la voir !
– Roussette ! dit Marine. J'ai eu très peur !
Maintenant, Roussette connaît le chemin de la maison. Même la nuit !

Pomponnette et les étoiles

Pomponnette a passé la journée dehors, couchée sous les hortensias bleus.
– Viens, Pomponnette! appelle Arnaud. Il est temps d'aller au lit!
Mais la chatte ne bouge pas. Il fait tellement bon, dehors! Pourquoi rentrer?
– Pomponnette! insiste Arnaud. Dépêche-toi!
La lune se lève et les étoiles commencent à briller dans le ciel.
Pomponnette est ravie. C'est très joli!
– Bon! Comme tu voudras! dit Arnaud.
Et il claque la porte derrière lui. «Je me demande combien il y a d'étoiles
dans le ciel», se dit Pomponnette. Et elle se met à compter. Une, deux, trois…
Mais elle s'endort avant d'avoir pu terminer. Il y en a tellement!

Un rêve

Panache est profondément endormi
sur sa péniche. Il ne dort pas
dans un panier. Il a une couchette.
C'est un lit spécialement fait
pour les bateaux, pour qu'on ne tombe
pas pendant la nuit. Parfois, le vent
souffle fort, et les vagues sont hautes.
Elles secouent le bateau et le font tanguer.
Dans sa couchette, Panache ne risque rien.
Cette nuit, tout est calme. La péniche
est bercée par l'eau paisible.
Panache rêve qu'il est dans un hamac,
loin, très loin, dans une île tropicale.
Le soleil brille et une jolie chatte
lui chante une berceuse. Merveilleux!
Panache ronronne dans son sommeil.
Comme il est heureux!
Fais de beaux rêves, Panache!

20 JUIN

Dormir

Les chats aiment être couchés
Au soleil toute la journée.
J'aimerais tant, moi aussi, m'allonger
Et ronronner sans bouger…

Lorsque c'est l'heure d'aller dormir,
Je n'arrive pas à me décider.
Je n'arrête pas de réfléchir
Au meilleur moyen de rêver.

Dois-je être capitaine, pirate, bandit?
Ou rêver de me faire bercer,
Comme un tout petit bébé?
Je me retourne dans mon lit.

Si seulement j'étais un chat!
Je n'aurais pas ce problème-là.

21 JUIN

Le jour le plus long

Aujourd'hui, c'est le jour le plus long de l'année. Le soleil se lève très tôt
et ne se couche pas avant très, très tard. Dans certains pays,
il ne se couche pas du tout. Il fait jour même durant la nuit.
Les gens n'ont pas besoin d'aller se coucher. Ça doit être formidable!
Durant le jour le plus long, on peut rester tard dehors car il fait très clair.
Mais pour les chats, cela ne fait aucune différence. Ils ont des yeux spéciaux.
Ils voient très bien lorsqu'il fait noir pour pouvoir attraper les souris!

22 JUIN

Une surprise

Maxime et sa maman sont restés absents toute la matinée. Neige s'ennuie,
toute seule dans la maison! Elle a déjà nettoyé ses pattes, ses oreilles, son nez.
Elle soupire. Enfin, elle entend la clé tourner dans la serrure de la porte.
Elle dresse l'oreille. Mais oui, c'est Maxime! Il a été au marché avec maman.
Et qu'a-t-il rapporté? Neige n'a aucun mal à le deviner. Elle a tout de suite
reconnu l'odeur du poisson!
– Miaou! fait-elle en agitant la queue
Quelle bonne surprise! Elle ne regrette plus d'être restée seule.

23 JUIN

À la pêche

Le grand-père de Marie lui a donné un bocal avec un poisson rouge.
Le poisson nage toute la journée, au milieu des plantes de son aquarium.
«Comme c'est joli!» se dit Marie. Elle regarde son poisson rouge pendant des heures.
Réglisse aussi… Il aime beaucoup le nouveau venu. Mais quel dommage qu'il reste
dans son bocal! Dès que Marie a le dos tourné, il plonge la patte dans le bocal.
– Réglisse! s'écrie Marie. Veux-tu t'en aller, vilain chat!
Si le poisson sort de l'eau, il va mourir! Ne touche plus à ce bocal!
Mais Réglisse n'a guère envie d'obéir. Il adore aller à la pêche!

24 JUIN

Un poisson pour Tigrou

Tigrou est au bord de l'étang.
C'est l'heure du goûter.
Il mangerait bien un de ces petits
poissons d'argent… De temps
en temps, il plonge la patte
dans l'eau pour en attraper un.
Il est tout mouillé. Voyons, Tigrou !
Ne peux-tu laisser ces pauvres
petits poissons tranquilles ?

25 JUIN

Réglisse est jaloux

Réglisse n'y comprend rien. Marie n'arrête pas de regarder son poisson rouge.
Qu'a-t-il de si remarquable ? Deux fois par jour, Marie verse de la nourriture
dans l'eau. Le poisson monte à la surface et hop ! il gobe sa nourriture et s'en va.
Au début, Réglisse s'amusait à le voir faire. Qui sait ? Il allait peut-être sauter
par-dessus bord ? Mais maintenant, il déteste ce poisson stupide. Il ne joue pas
et ne dit jamais rien ! Pourquoi Marie ne le regarde-t-elle pas, lui ?
Il sait faire des tas de choses et en plus, il miaule !
– Miaou ! dit-il.
– Chut ! dit Marie, les yeux fixés sur son poisson.
Furieux, Réglisse sort dans le jardin. Il est jaloux !

121

Un petit garçon

Un petit garçon est arrivé dans la maison de Mimosa, avec sa maman.
Il s'appelle Romain. Il sait à peine marcher. Il se promène dans la pièce en zigzaguant.
Sa maman prend le thé. Elle oublie de le surveiller. Romain en profite.
Il a très envie d'attraper la queue de Mimosa ! Pauvre chatte ! Elle n'a pas un instant
de paix avec ce garçonnet. Mais Romain s'amuse beaucoup. Il court après Mimosa.
– Minette ! dit-il. Minette !
Mimosa se sauve dans le jardin.
Là, au moins, il ne risque pas de l'attraper !

27 JUIN

L'anniversaire

Aujourd'hui, c'est l'anniversaire d'Arnaud. Il a six ans.
Il a donc invité six amis. Ils sont dans le jardin, assis autour de la grande table.
Dessus, il y a un gros gâteau, avec six bougies allumées.
– Joyeux anniversaire, Arnaud ! chantent ses amis.
Arnaud souffle ses bougies d'un seul coup. Puis sa maman coupe le gâteau.
Tiens ! Il reste une part. Ce n'est pas pour maman, elle est au régime.
Non, c'est pour la meilleure amie d'Arnaud, sa chatte Pomponnette.
– Régale-toi, gourmande ! dit Arnaud.
Et tous ses amis applaudissent.

28 JUIN

Le ramasseur de chats

Chaque été, le ramasseur de chats vient en ville. Il attrape les chats errants
et les emmène dans une grande maison pour chats. Là, ils peuvent trouver
un nouveau maître.

Fleur a très peur du ramasseur de chats. Elle n'aime pas du tout la grande maison
pour chats. Il y a au moins cent chats là-dedans, enfermés dans des petites cages.
Le ramasseur de chats a mis une cage dans le jardin de Madame Bernardie.
Il y a une porte qui se referme toute seule dès qu'on franchit le seuil.
Madame Bernadie a vu Fleur dans son jardin au moins cinq fois de suite.
Elle n'aime pas les chats errants. Heureusement, Fleur a tout de suite compris
que la cage était un piège. « Il est temps pour moi de partir », décide-t-elle.
Et elle s'en va à la recherche d'un nouveau jardin.

29 JUIN

Une fête dans le jardin

Aujourd'hui, les parents de Caroline donnent une fête dans le jardin.
Ils ont décoré les arbres et la palissade. Il y a des torches, des lanternes,
des guirlandes. C'est très beau. Ils ont aussi installé des chaises et des tables
avec des nappes de toutes les couleurs. Et sur les tables, que de bonnes choses
à manger ! Du fromage, du saucisson, du poisson, du poulet… Miam !
Mistigri est ravi. Il reste tout l'après-midi avec Caroline. De temps en temps,
elle lui donne un morceau de saucisson. Puis quand tout est prêt,
maman et Caroline rentrent dans la maison. Chic ! se dit Mistigri.
Il vole un peu de fromage sur une table, du poisson sur une autre,
et du poulet sur la troisième. Personne ne le remarquera, n'est-ce pas ?

30 JUIN

La vie des chats

Manger, dormir, jouer
Voilà la vie des chats.
Ils aiment ronronner
Et s'en donnent à cœur joie !

Ils boivent leur lait le matin,
Et font leur toilette à midi.
Le soir, ils jouent sur le chemin.
Puis rentrent quand vient la nuit.

Manger, dormir, jouer
C'est une belle destinée.
Si j'étais un gros chat,
Moi aussi, j'aimerais ça !

1er JUILLET

Du fromage

– Verveine ! Viens voir par ici !
Marc appelle sa chatte. Mais Verveine n'a aucune envie
de bouger. Elle est très bien sous le rosier.
– Viens, ma petite minette… insiste Marc.
Peine perdue ! La chatte reste pelotonnée dans sa cachette.
– Attends une minute, déclare Marc.
Il rentre en courant dans la maison et en ressort
quelques secondes plus tard. Verveine tend son museau…
Quelle est donc cette odeur ? Mais oui… c'est du fromage !
– Alors, Verveine, tu viens ? demande Marc.
Cette fois, Verveine ne se fait pas prier. Elle veut bien
se déranger pour du fromage. C'est tellement bon !

2 JUILLET

Un piège

Verveine a finalement accepté de sortir
de sous le rosier. Marc l'a attirée avec un morceau
de fromage. Mais que fait-il, maintenant ?
Pourquoi attrape-t-il Verveine par la peau du cou ?
– Je te tiens, petite coquine ! déclare-t-il.
Elle a beau miauler, Marc ne la lâche pas. Dans la cuisine, le panier de voyage
de Verveine est ouvert. Marc part en vacances avec son papa et sa maman. Et Verveine ?
Elle part avec eux, bien sûr. Comme d'habitude, ils vont installer leur caravane dans
les dunes, au bord de la plage. Ils y resteront tout l'été. Marc ferme la porte du panier.
– Pourquoi fais-tu tant d'histoires, Verveine ? demande-t-il. Tu as de la chance.
Tu es le seul chat du quartier qui part en vacances !
Mais Verveine est fâchée. Elle ne comprend pas. Marc lui a joué un vilain tour
en l'attirant ici. Elle a horreur de ce panier !
Un peu de patience, Verveine. Une bonne surprise t'attend !

Le tas de sable

Le papa de Marie a eu une merveilleuse idée. Il a fait un trou dans un coin du jardin, bien à l'abri du vent. Puis il l'a rempli de sable fin. Marie est très contente. Tous les jours, elle fait des pâtés, des châteaux, des gâteaux pour maman. Réglisse aime beaucoup ce nouveau coin, lui aussi. La nuit, quand Marie dort, il va dans le tas de sable et creuse, creuse… Puis il s'installe dans son creux et fait ses besoins. Il croit que c'est une nouvelle litière ! Heureusement, le lendemain, papa met une bâche en plastique sur le sable. Comme cela, Réglisse ne se trompera plus !

4 JUILLET

Noisette et Nestor

Noisette et Nestor ont chacun leur gamelle. Noisette a des croquettes pour chat, et Nestor des croquettes pour chien. Mais il se passe des choses bizarres…
Dès que Noisette a le dos tourné, Nestor mange dans la gamelle de Noisette. Il ne devrait pas, mais c'est tellement bon ! « Peut-être que ses croquettes sont très mauvaises », se dit Noisette. Tout doucement, elle s'approche de la gamelle du chien et renifle les croquettes. Hum ! Quelle bonne odeur ! Noisette goutte une croquette.
– Ouah ! aboie Nestor. Ne touche pas à ma gamelle !
« Ce n'est pas juste ! » se dit Noisette. Nestor est un gourmand et un voleur !

5 JUILLET

En promenade

Le soir, avant de dormir, Nestor va toujours faire un tour avec son maître.
Noisette aime bien les accompagner. Dans la rue, on voit le maître qui tient
son chien en laisse, avec son chat à côté. Les passants trouvent cela très amusant.
Noisette s'amuse beaucoup. Quand Nestor est en laisse, elle adore le taquiner.
Elle court devant lui. Nestor la poursuit mais Noisette grimpe à toute allure
dans un arbre. Nestor ne peut plus l'attraper! Leur maître rit aux éclats.
– Vous êtes vraiment drôles, tous les deux! s'écrie-t-il.

6 JUILLET

En haut de l'arbre

Tout en haut de l'arbre, il y a un chat.
Il a grimpé là il y a un bon moment
Il miaule sans arrêt, il ne s'arrête pas.
Pourquoi? Est-il blessé? Mourant?
Il est monté sans hésitation.
Il a sauté de branche en branche
Jusqu'au sommet. Maintenant, la question,
Est de redescendre… Là, il flanche.
Impossible de sauter
De si haut sans se blesser!
Il miaule. Qui va venir le chercher?
Il faut appeler les pompiers!

7 JUILLET

Solitaire

Parfois, Fleur se sent seule. Elle n'a pas
de maison, pas de maître. Pourtant,
beaucoup de gens aimeraient avoir
une petite chatte aussi mignonne.
Non loin d'ici, vit une vieille dame
qui adore les animaux. Elle a déjà
un hamster, un lapin, un chien,
un oiseau, un poisson rouge,
et même une petite chèvre.
La vieille dame aimerait beaucoup
s'occuper de Fleur. Tous les jours,
elle place une assiette de lait pour elle
devant sa porte. Fleur vient laper
le lait et miaule pour remercier la dame.
Très doucement, pour ne pas lui faire
peur, elle caresse Fleur. Mais cela
ne dure pas. Soudain, la chatte
entend un oiseau. Oubliant
la vieille dame, elle se lance
à sa poursuite. Quelle sauvageonne!

8 JUILLET

Un plongeon

Mistigri a un nouveau passe-temps : la pêche. Il reste des heures sur le bord de l'étang,
à regarder l'eau. Il y a trois gros poissons rouges dans l'étang. Ils s'amusent
beaucoup à taquiner Mistigri. Ils nagent vers lui et pointent le nez hors de l'eau.
Mistigri lance sa patte pour les attraper, mais en vain! Les poissons ont
déjà replongé. Mistigri s'avance de plus en plus près du bord. Lorsque les poissons
remontent encore, il oublie toute prudence. Cette fois, il les tient!
Du moins c'est ce qu'il croit… Plouf! Mistigri est tombé à l'eau. Lorsqu'il en sort,
il est furieux. Et il n'a plus envie de pêcher!

9 JUILLET

De bonne heure

Il fait jour de bonne heure en cette saison. Boléro n'y comprend rien.
Le soleil est levé depuis longtemps et Agathe dort toujours.
– Miaou! Miaou! appelle-t-il en poussant la porte de la cuisine.
Miaou! Miaou!
Il sort dans le jardin et saute sur le rebord de la fenêtre
de la chambre d'Agathe.
– Miaou! Miaou!
Enfin, la fenêtre s'entrouvre.
– Oh! Boléro! Il n'est que cinq heures… gémit Agathe.
Pourquoi me réveilles-tu si tôt? Boléro saute
à l'intérieur de la chambre. Il ne sait
pas lire l'heure, lui!

10 JUILLET

Sur les coussins

D'habitude, Mimosa ne sort pas
de la maison. Mais depuis quelques jours,
elle va chaque soir dans le jardin. Pourquoi? Parce qu'il fait bon dehors,
à cette heure-là. Et puis, c'est le seul moment où les enfants ne la dérangent pas
avec leurs jeux. Mais il y a une autre raison. Tous les soirs, sa maîtresse range
les coussins des fauteuils du jardin. Elle les empile sous l'auvent de la terrasse.
Mimosa s'installe dessus pour dormir. C'est très confortable! Et puis,
il y a des milliers d'étoiles dans le ciel. Tout est paisible dans le jardin silencieux.
Bonne nuit, Mimosa…

11 JUILLET

Les lacets

La grand-mère de Marie lui a acheté de jolis
souliers rouges, avec de longs lacets blancs.
Marie est assez grande pour nouer ses lacets
toute seule. Tous les matins, elle s'assied
au bas de l'escalier et attache ses lacets.
C'est difficile, mais elle y arrive très bien!
Sous les marches, deux yeux brillent
dans l'obscurité… Eh oui! C'est Réglisse!
Il croit que Marie s'amuse. Il a une envie folle
de jouer avec ces beaux lacets blancs.
Alors il bondit pour les attraper.
Au début, Marie n'est pas contente.
Puis elle éclate de rire.
– Vilain Réglisse! dit-elle. Comment veux-tu
que j'attache mes lacets si tu joues avec?

12 JUILLET

Un immense étang

Verveine a beaucoup de chance. Elle est partie en vacances avec ses maîtres.
Ils campent dans les dunes et Verveine a presque oublié sa vraie maison!
Elle se promène, respire le bon air frais… C'est merveilleux! Tous les jours,
elle s'aventure un peu plus loin. Un matin, elle entend un rugissement.
Qu'y a-t-il donc, de l'autre côté de la dune? Verveine a un peu peur.
Elle n'ose pas avancer. Puis une mouette vole au-dessus d'elle.
– Crouououou…, fait-elle. Un chat qui a peur… Crouououou! Le peureux!
Verveine est vexée. En trois bonds, elle est de l'autre côté de la dune. Elle s'arrête,
stupéfaite. Jamais elle n'a vu un étang aussi immense! On dirait qu'il n'a pas de fin…
C'est la mer, bien sûr!

13 JUILLET

Doudou et Neige

Le fermier et sa femme ne partent jamais en vacances.
– C'est impossible, dit le fermier. Qui trairait les vaches ? Qui récolterait le maïs ?
Il y a beaucoup de travail à la ferme. Doudou non plus ne peut pas partir.
Pourtant, il en meurt d'envie. L'été va lui paraître bien long…
Il traîne de-ci de-là dans la cour. Il s'ennuie. Soudain, une voiture arrive.
Maxime en descend, un panier de voyage à la main.
– Bonjour, Maxime ! Bonjour, Neige ! dit la fermière.
Neige va rester à la ferme pendant que Maxime et ses parents partent en vacances.
Quelle merveilleuse nouvelle pour Doudou ! Il ne sera plus seul cet été !
– Viens, Neige ! dit-il. Je vais te faire visiter la ferme.

À la chasse

Boléro chasse. Il est caché derrière le coffre à jouets d'Agathe. Seul son petit museau dépasse. Il ne faut absolument pas qu'on le voit! Surtout pas sa proie, en tout cas. Elle est sous le lit d'Agathe…
Boléro écarquille les yeux. Ses moustaches frémissent. Il se balance sur ses pattes arrière…
Va-t-il sauter? «Maintenant!» se dit Boléro.
Et il bondit sur sa proie. Il roule sur le sol avec elle. Il la mord, plante ses griffes dans son corps… Quel combat!
Puis Agathe rentre dans la pièce.
– Boléro! Lâche ça! dit-elle.
Il était temps… Encore quelques minutes et Boléro dévorait sa pantoufle…

15 JUILLET

Les chats aiment chasser

Les chats aiment chasser.
Ils aiment aussi voler
Un chapelet de saucisses
Ou un soulier usé…
Qu'importe!

Ils sortent la nuit,
Qu'ils soient noirs ou gris,
Pour chasser les souris.
Sous le vent ou la pluie,
Qu'importe!

16 JUILLET

Un joli panier

Nestor a un joli panier pour dormir dans l'entrée
de la maison. Comme cela, il peut surveiller
les cambrioleurs. Bien sûr, personne n'a jamais
cambriolé la maison, mais on ne sait jamais.
En fait, Nestor pense que le facteur est un voleur !
Heureusement, Noisette fait la différence.
Le facteur lui caresse toujours le dos, le matin.
La chatte n'a pas besoin de panier près de l'entrée.
Elle se contente d'un vieux pull-over dans la cuisine.
C'est très confortable, comme matelas.
Un jour, son maître lui dit :
– Noisette, il te faut un panier, à toi aussi !
Il trouve que c'est triste de voir dormir
Noisette sur ce vieux pull-over. Alors
il lui achète un beau panier tout neuf.
Mais Noisette refuse d'y dormir.
Elle préfère son vieux pull-over !
Il a son odeur !

17 JUILLET

Un manteau neuf

Grand-mère a fait un manteau pour Caroline. Il a une capuche bleue
et des poches jaunes et rouges. Mais le plus joli, ce sont les pompons
qui pendent à l'ourlet du manteau. Ils sont de toutes les couleurs :
vert, bleu, rouge, marron, jaune… Caroline est très fière de son manteau neuf.
Et Mistigri l'adore, lui aussi ! Il aime surtout les pompons qui tournent
et virevoltent à chaque mouvement de Caroline. Dès que la petite fille
met son manteau, Mistigri bondit pour les attraper.
– Non, Mistigri ! dit Caroline. Ces pompons ne sont pas des jouets !
Mais Mistigri ne comprend pas. S'ils ne sont pas des jouets, alors à quoi servent-ils ?

Dans le journal

La grand-mère de Laura est une adorable vieille dame aux cheveux gris. Aujourd'hui, il fait très beau et elle se repose sur la terrasse. Elle a bu une tasse de café et s'apprête à lire le journal.
– Bien! dit-elle. Voyons un peu quelles sont les nouvelles!
Mimosa vient se frotter contre les jambes de la vieille dame mais elle ne lui prête aucune attention.
« Quoi? se dit Mimosa. Cette chose est plus importante que moi? »
D'un bond, la chatte saute en plein milieu du journal.
– Mimosa! proteste grand-mère.
Comment veux-tu que je lise le journal si tu te couches dessus? Allez! Descends…
Mimosa s'en va. Elle est très vexée!

19 JUILLET

Dans le maïs

Neige passe de merveilleuses vacances dans la ferme de Doudou.
Tous les jours, ils font quelque chose de différent.
– Veux-tu jouer à cache-cache? demande Doudou, ce matin.
Neige aimerait bien. Mais où se cacher? Il n'y a que des champs à perte de vue…
– Viens! dit Doudou. Allons dans le champ de maïs.
Quelle bonne cachette! Le maïs est très haut en cette saison. On se croirait dans la jungle. Neige a failli se perdre… Heureusement, Doudou l'a trouvée!
Il connaît bien les champs. C'est un vrai campagnard, à présent!

Drôle d'oiseau

Aujourd'hui, Marie a invité une de ses amies, Elsa. Elles jouent au badminton
dans le jardin. Connaissez-vous ce jeu ? Avec une raquette, on frappe dans un volant
pour l'envoyer à son partenaire. Un volant, c'est une petite balle de caoutchouc
dans laquelle on a planté des plumes en plastique. Comme cela, la balle vole mieux…
Marie et son amie ne sont pas très douées. Elsa lance le volant vers Marie.
Elle court… Pan ! Elle frappe le volant avec sa raquette ! Mais elle s'est trompée
de direction. Le volant va atterrir dans les buissons… exactement là où Réglisse
s'est réfugié. Il a vu le volant traverser les airs. « Drôle d'oiseau ! se dit-il.
Je me demande quel goût il a… ». Le chat bondit.
– Non ! Réglisse ! crie Marie. N'y touche pas !
Trop tard. Réglisse s'enfuit avec ce drôle d'oiseau entre les dents.
Hum… Étrange dîner !

21 JUILLET

Au soleil

Qu'il fait bon au soleil
Sur la pelouse du jardin !
C'est aussi bien qu'un câlin.
Miaou ! Quelle merveille !
Se dit Mimosa, ronronnant.
Quel été charmant !
Elle adore se prélasser,
Tranquillement allongée…
C'est si bon de se chauffer,
Au soleil de juillet !

22 JUILLET

La petite maison

Caroline a étalé une grande serviette de bain sur la pelouse
du jardin. Puis elle plante un parasol dans l'herbe,
juste au-dessus. Maintenant, elle a une petite maison
rien qu'à elle ! Caroline est très contente. Elle va chercher
sa poupée, son ours en peluche et son clown.
Et aussi sa dînette. Mistigri est assis sur l'herbe.
Lui aussi, il a envie d'aller dans cette nouvelle maison…
Alors il va se coucher en plein sur la dînette de Caroline.
– Non ! dit Caroline. Tu ne peux pas rester là ! Va-t'en !
Mistigri est triste. Il ne faisait rien de mal, n'est-ce pas ?

23 JUILLET

Sur la photo

Arnaud est ravi. Son papa lui a donné un vieil appareil photo. C'est un vrai appareil,
et maman y a mis une pellicule. Maintenant, il est prêt à faire des photos.
– Qui veut se faire photographier ? demande Arnaud.
Il a déjà pris une photo de sa maman, une de la maison et une de son vélo.
Puis il aperçoit Pomponnette, qui fait la sieste sur son fauteuil.
– Réveille-toi, Pomponnette ! dit Arnaud. Je veux te prendre en photo.
Mais Pomponnette n'entend rien. Elle dort très profondément.
– Eh ! Pomponnette ! Debout !
Pomponnette rêve. Elle est très loin d'ici…
Alors Arnaud prend une photo de sa chatte endormie.
– Ce sera une belle photo, dit maman.
Tout le monde la reconnaîtra, puisque
Pomponnette ne fait que dormir !

24 JUILLET

Les trous dans le sable

Verveine est partie en vacances
avec sa famille au bord de la mer.
La chatte va tous les jours à la plage
avec Marc. Pendant qu'il joue, elle creuse le sable.
Quel plaisir ! À la maison, Verveine n'a pas le droit
de faire le moindre trou dans le jardin. Maman ne veut pas.
Mais sur la plage, il n'y a pas de fleurs. Alors Verveine peut faire
autant de trous qu'elle veut ! Et quand elle en a assez de creuser,
elle se niche dans son trou favori et fait la sieste au soleil.
Elle n'a jamais passé d'aussi bonnes vacances !

De nouvelles croquettes

Bertrand est en vacances. Il a donc le temps d'accompagner
sa maman faire les courses.
– Regarde, maman! dit Bertrand. De nouvelles croquettes…
Il y a un jouet pour chat à l'intérieur. On l'achète?
– Si tu veux, mon chéri, répond maman.
Bertrand met la boîte de croquettes dans le caddy.
Sitôt arrivé à la maison, il s'empresse de l'ouvrir.
– Tigrou! appelle-t-il. Viens voir…
Il remplit une assiette de croquettes et la pose
sur le sol. Mais Tigrou recule. Ça sent très mauvais!
– Quel dommage! dit Arnaud.
Tigrou n'aime pas les nouvelles croquettes.
Heureusement, le chat aime beaucoup le jouet
qu'il y a dans la boîte : c'est une souris en plastique!

Un vrai bébé

Agathe joue avec
son nouveau landau.
Elle le pousse dans le jardin,
comme une vraie maman.
Mais sa poupée ne bouge jamais.
– Ce que je voudrais, dit-elle,
c'est un vrai bébé! Viens, Boléro!
Elle met le chat dans le landau
et chante une berceuse :
– Fais dodo, mon p'tit bébé!
Mais Boléro n'arrive pas à dormir.
Agathe balance trop fort le landau.
Cela lui donne mal au cœur. Soudain,
il bondit au dehors. Bébé Boléro s'est sauvé!

27 JUILLET

Les chats et l'eau

Il fait très chaud, aujourd'hui. Trop chaud.
Arnaud n'arrête pas de soupirer. Maman a une idée.
– Je vais ouvrir l'arrosage du jardin, dit-elle.
Comme cela, tu pourras t'amuser sous le jet d'eau en maillot de bain.
Quelle bonne idée! Arnaud file dans sa chambre mettre son maillot.
Pomponnette l'attend dans le jardin.
– Tu viens sous le jet d'eau avec moi? demande Arnaud.
Maman ouvre le robinet.
– Ah! C'est frais! Ça fait du bien! s'exclame Arnaud.
Mais où est Pomponnette? Elle a disparu. Les chats détestent l'eau,
même lorsqu'il fait très chaud!

28 JUILLET

Bonjour, Neige!

Maxime est rentré de ses vacances en
Espagne. Il a hâte de revoir sa meilleure amie...
Qui est-ce? Mais oui, vous avez deviné!
C'est Neige. Il va tout de suite la chercher
chez Doudou. Voilà la voiture de Maxime
qui entre dans la cour de la ferme.
« Qui est ce garçon à la peau brune? »
se demande Neige. Maxime sort
et appelle sa chatte. « C'est mon maître! » se dit
Neige, étonnée. Il a tellement bronzé qu'elle
ne le reconnaissait pas. La chatte entre sans se faire
prier dans son panier de voyage. Elle s'est bien amusée
avec Doudou et elle est contente de retrouver
sa maison. Mais l'été n'est pas fini...

Les vacances sur la péniche

Les enfants du marinier doivent aller dans une école spéciale.
On y apprend à lire, à écrire et à compter, comme partout.
Mais les enfants ne rentrent pas chez eux le soir. Ils restent dormir
dans leur école. Le capitaine est toujours en voyage et ne peut pas aller
chercher ses enfants tous les soirs. Alors il attend les vacances
avec impatience, et sa femme aussi. Leur petite fille et leurs deux garçons
viennent passer l'été avec eux ! Le plus heureux, c'est Panache. Il s'amuse
beaucoup avec ses nouveaux amis. Eux aussi sont ravis. Ils veulent
tous prendre Panache sur leurs genoux et jouer avec lui.
– Je crois qu'il nous faudra trois chats, aux prochaines vacances ! dit le marinier.
Panache n'aime pas beaucoup cette idée…
Il préfère garder les enfants pour lui tout seul !

30 JUILLET

Fleur et son maître

Fleur est une chatte errante. Elle n'a pas de maison, puisqu'elle voyage tout le temps.
Mais elle se sent bien seule, parfois. Personne ne la prend jamais dans ses bras pour
lui faire un câlin. Fleur aime beaucoup les gens. Surtout les enfants. Mais ils habitent
dans des maisons et les maisons, ça ne bouge pas! Or, Fleur n'aime pas rester
au même endroit. Mais aujourd'hui, elle est très heureuse. Elle a trouvé un maître
qui lui convient. Elle a eu beaucoup de chance! Un cirque est venu en ville.
Il a planté son chapiteau, avec des acrobates, un dompteur, des montreurs d'ours…
Il y a aussi un clown bien sûr. Il habite dans une caravane, comme ses amis du cirque.
Lorsqu'il a rencontré Fleur, il l'a invitée à venir habiter chez lui. Fleur n'a pas
hésité un instant. Une maison qui bouge, c'est le rêve!

31 JUILLET

Dans le vaste monde

Nous irons par le vaste monde,
Dans tous les pays de la terre.
Toi, la chatte vagabonde
Et moi, le clown solitaire.

Nous voyagerons selon les saisons,
Dans notre jolie petite maison.
Pas question de s'ennuyer!
Nous allons bien nous amuser!

1er AOÛT

Natacha

Laura reçoit sa petite cousine pour les vacances.
Elle s'appelle Natacha et elle est très mignonne.
Elle a de grands yeux noirs et des cheveux bouclés.
Natacha trouve Mimosa très jolie, elle aussi.
– Tu es belle, Mimosa. Mais tu as les cheveux trop longs, dit Natacha.
Elle caresse le doux pelage de Mimosa. Quel gros câlin !
Mimosa est ravie. Elle ronronne de joie.
– J'ai une idée, dit Natacha. Je vais te couper les cheveux !
Comme cela, tu auras moins chaud.
Laura sera-t-elle d'accord ? Qu'en pensez-vous ?

2 AOÛT

Une chatte chez le coiffeur

Natacha a décidé de couper les cheveux de Mimosa.
Elle va chercher les ciseaux dans la boîte à couture de sa tante.
– Viens ici, Mimosa, dit la petite fille.
Elle met la chatte sur ses genoux et lui caresse la tête.
Mimosa ronronne. Puis soudain, elle entend un cliquetis.
Clic, clic ! Clac, clac ! Des touffes de poils roux tombent sur le sol.
– Là ! Tu es beaucoup mieux ! dit Natacha.
Encore quelques coups de ciseaux… Clic, clic ! Clac, clac !
Les touffes de poils s'entassent. Maintenant, Mimosa est toute dégarnie
derrière les oreilles. Elle en a assez ! Natacha lui fait peur
avec ces ciseaux ! Elle bondit sur le sol.
– Attends ! Je n'ai pas fini ! dit Natacha.
Mais Mimosa ne l'écoute plus. Elle va se cacher dans le jardin.
Comme elle a l'air étrange ! On dirait une chatte punk !

3 AOÛT

Le hamac de papa

Dans le jardin, sous le sapin,
Il y a un hamac rayé de bleu.
Boléro s'y est couché depuis peu.
Il ronronne. Il est heureux.
Mais papa rentre du bureau.
Il est fatigué et veut se reposer
Dans son hamac préféré.
– Désolé! dit-il à Boléro.
Ce n'est pas un endroit pour les chats,
Mais pour les papas…

4 AOÛT

La pelouse

Cet après-midi, maman décide de tondre la pelouse.
– Enlève tes jouets de la pelouse, Marie! dit maman.
Marie obéit tout de suite. Elle ne veut pas
que sa jolie poupée soit mangée par la tondeuse!
Réglisse s'est installé sur la terrasse. Soudain, il dresse l'oreille.
Quel est ce bruit? Il aperçoit la tondeuse. L'herbe vole autour de la machine.
Réglisse est très intéressé. Il regarde maman pousser la tondeuse.
Elle avance lentement et l'herbe se soulève à son passage. Réglisse s'aplatit par terre.
«Comment attraper cette herbe qui vole?» se dit-il. Soudain, il bondit.
– Attention, maman! crie Marie.
Maman s'arrête tout de suite.
– Eh bien, Réglisse! dit maman en riant. Que veux-tu faire de ces brins d'herbe?
Emmène-le dans la maison, Marie. Autrement, je n'arriverai jamais à finir mon travail.
Réglisse n'y comprend rien. Pourquoi est-il puni? Il voulait seulement s'amuser!

146

5 AOÛT

La petite piscine

Le grand-père de Bertrand lui a donné
une petite piscine en plastique.
– Tiens, mon petit bonhomme, a dit grand-père.
Amuse-toi bien!
Maman a installé la piscine dans le jardin
et l'a remplie d'eau avec le tuyau d'arrosage.
Ensuite, elle a ajouté trois seaux d'eau chaude.
Bertrand saute dans la piscine.
Que c'est agréable! Il patauge, il s'éclabousse,
il pousse des cris de joie. Tigrou
le regarde avec étonnement.
– Viens jouer avec moi, Tigrou!
dit Bertrand.
Mais le chat recule.
Aller dans l'eau? Quelle horreur!
– Tigrou! insiste Bertrand.
Qu'est-ce que tu attends?
On va bien s'amuser!
Il lui lance de l'eau sur les oreilles.
Aussitôt, le chat court se cacher
dans les buissons. Il n'aime pas
du tout ce nouveau jeu!

6 AOÛT

Un collier magique

Doudou traverse la cour de la ferme. Mais il s'arrête au bout
de quelques pas. Cela le démange derrière la tête. Il ne peut
pas s'empêcher de se gratter. Derrière l'oreille gauche, derrière
l'oreille droite… Maintenant, c'est sous le ventre. Et puis
dans le dos… Ce pauvre Doudou se gratte comme un fou.
– Il a des puces! dit la fermière.
Elle va chercher une petite boîte. À l'intérieur, il y a
un collier blanc, qu'elle attache autour du cou de Doudou.
– Maintenant, ajoute-t-elle, les puces vont s'en aller!
Doudou se sent déjà mieux. Ce collier est vraiment magique!

La parente de Boléro

– Maman! dit Agathe. Il y a un cirque en ville! Ils ont déjà installé un grand chapiteau sur la place. Et il y a des caravanes partout! Je pourrais y aller, dis, maman?
Maman accepte. Après tout, ce sont les vacances! Agathe est ravie.
Naturellement, elle emmène Boléro. Tous deux s'installent au premier rang.
Le spectacle commence. Il y a des acrobates et des chevaux,
des écuyères, des éléphants, des tigres…
– Regarde, Boléro, explique Agathe. Ces tigres sont tes oncles…
Puis vient le clou du spectacle: le clown! Mais il n'est pas seul.
Il est accompagné d'une chatte très mignonne. C'est Fleur!
– Celle-ci, Boléro, c'est une proche parente! dit Agathe.
Boléro trouve Fleur très douée. Comme il est fier de l'avoir pour parente!

Le cirque

Le cirque est arrivé!
Sous le chapiteau bleu,
Il y a des mangeurs de feu,
Des tigres, des éléphants,
Des animaux domptés
Et aussi un clown très amusant.
Mais le plus intéressant,
C'est Fleur, la chatte aux yeux ambrés…

Dans l'herbe

Il fait beau aujourd'hui. Les oiseaux gazouillent gaiement dans les arbres
et les abeilles butinent les fleurs. Arnaud s'amuse dans le jardin.
Tout d'abord, il joue aux Indiens, puis il organise une course de voitures
dans le tas de sable. Ensuite, il va se baigner dans sa petite piscine.
Il est très occupé! Et Pomponnette, pendant ce temps?
Elle est couchée dans l'herbe. Elle aussi est très occupée… à sa façon!
Elle fait une bonne sieste au soleil! Seulement, à la fin de l'après-midi,
papa sort le tuyau d'arrosage pour arroser la pelouse.
Pauvre Pomponnette! Elle est obligée d'aller dormir ailleurs!

10 AOÛT

Mistigri et le ballon

Caroline a été au cirque
avec sa grand-mère. Elle a vu un tigre se tenir en équilibre
sur un gros ballon. Elle aimerait bien que Mistigri fasse la même chose.
– Monte là-dessus, Mistigri! ordonne-t-elle.
Mistigri regarde l'énorme ballon de plage, immobile sur l'herbe du jardin.
Il le pousse de sa patte. À quoi sa maîtresse veut-elle jouer?
Caroline attrape son chat et le place sur le ballon.
– Je vais te montrer, dit-elle.
Le ballon se met à rouler. Mistigri a très peur. Il va tomber!
Vite, il plante ses griffes dans le ballon. Pshh… Le ballon se dégonfle…
– Oh! Mistigri! Qu'as-tu fait? proteste Caroline.
Mistigri saute sur l'herbe. Eh oui, Caroline! Ce n'est pas un tigre…

Le retour

Verveine a passé de longues vacances dans les dunes.
Maintenant, il faut rentrer à la maison. Papa doit reprendre son travail.
Et Marc ne va pas tarder à retourner à l'école.
Seulement, Verveine a complètement oublié son ancienne vie.
Elle croit que la caravane est sa nouvelle maison.
Et que la plage, l'océan, les dunes, tout cela est son nouveau jardin.
Aussi, quand Marc la remet dans son panier de voyage, elle ne comprend pas.
– Tu vas retrouver ton jardin, explique Marc.
Verveine est tellement étonnée qu'elle oublie de miauler.
Pourtant, elle déteste rester dans ce panier. Que veut dire Marc ?
Elle a déjà un jardin de sable, immense, avec des mouettes qui viennent
se poser de temps en temps au bord de l'eau. Enfin, ils arrivent à la maison.
Marc libère Verveine tout de suite. La chatte regarde autour d'elle, renifle…
Mais oui ! Elle reconnaît ces odeurs ! Seul son vrai jardin sent aussi bon.

La chasse aux papillons

Réglisse est aux aguets. Son menton
touche l'herbe. Il avance tout doucement
vers un superbe papillon, perché sur
une rose. Ses moustaches frémissent.
Quelle joie d'attraper un aussi joli
papillon ! Réglisse s'approche de plus
en plus près. Il se balance sur ses pattes
arrière et hop ! Il bondit et…
le papillon s'envole ! « Ça alors ! se dit Réglisse.
Je n'ai pourtant fait aucun bruit ! »

13 AOÛT

La moisson

Le fermier a beaucoup travaillé ces derniers temps. Il a coupé l'herbe
dans les prés. Puis il l'a laissée sécher au soleil.
– Un orage se prépare, dit-il aujourd'hui. Il faut rentrer le foin.
Doudou sait ce que cela veut dire : tout le monde doit aller aider
le fermier et la fermière à ramasser l'herbe séchée. La fermière place
de délicieux sandwichs au fromage et au jambon dans un panier.
Elle prend aussi un thermos de café. Et Doudou a droit à un morceau
de saucisse. Il est ravi. Il va se régaler ! Les hommes passent la matinée
dans les prés. Les femmes viennent les aider. Tous travaillent si dur
qu'ils oublient le panier plein de sandwichs et le café chaud.
Heureusement, Doudou est là.
– Miaou ! dit-il en se frottant la tête contre le panier.
– Ah ! dit le fermier. C'est l'heure de la pause.
Qui a droit le premier à son déjeuner ? Doudou, bien sûr.

14 AOÛT

Tranquille

Panache est couché sur le pont
de la péniche. Il est encore très tôt.
Le capitaine est réveillé, mais
sa femme et ses enfants dorment
encore. Panache en profite
pour se reposer. Une fois les enfants
debout, il n'aura plus une minute
à lui! Cela fait quatre semaines
que cela dure. Quatre longues semaines
avec trois enfants qui l'adorent!
Toute la journée, ils le caressent,
le prennent sur leurs genoux, jouent
avec lui, se disputent pour l'avoir.
Panache en a assez. Il voudrait
bien rester un peu tranquille!
Le capitaine lui sourit.
– C'est calme, à cette heure-ci,
n'est-ce pas, Panache?
Encore deux semaines, et les enfants
retournent à l'école. Courage!

15 AOÛT

Le bourdon

Neige fait la sieste au soleil, sur le rebord de la fenêtre.
Soudain, un bruit lui fait dresser l'oreille. Zzzzzzzzzz… Un gros bourdon est
en train de butiner les pots de fleurs sur la fenêtre. Zzzzzzzzzz, paf! Il se cogne
contre la vitre. Neige est en colère. Cet insecte stupide l'empêche de dormir!
S'il continue, il va gâcher sa sieste. Elle ouvre un œil et soudain, lance sa patte
pour l'attraper. Patatras! Le pot de fleurs tombe par terre, sur la terrasse. Quel bruit
épouvantable! Neige a eu tellement peur qu'elle s'est enfuie. Et le bourdon?
Eh bien, il continue à bourdonner gaiement dans les autres pots de fleurs…

16 AOÛT

Mimosa et la chasse

Mimosa est une chatte très comme il faut. Elle est toujours propre. Elle nettoie ses pattes avant d'entrer dans la maison et se lave le museau après le repas.
Et lorsqu'elle a de la visite, elle fait aussi une toilette très soignée.
Mais au fond de son cœur, Mimosa aimerait bien se comporter comme une chatte ordinaire. Elle rêve de gambader dans le jardin et d'attraper un oiseau.
À condition que personne ne la regarde à ce moment-là, bien sûr. Après tout, elle tient à sa réputation !
Aujourd'hui, Mimosa est dans le jardin. Justement, des mésanges viennent picorer les miettes sur la terrasse. Maman les a jetées là exprès. Mimosa regarde autour d'elle.
Hum… Personne en vue… Enfin, elle va chasser ! Les moustaches tremblantes d'émotion, elle s'élance sur les oiseaux.
– Miaou ! crie-t-elle.
Effrayées, les mésanges s'enfuient à tire-d'aile. Mimosa ne comprend pas.
Voyons, Mimosa, si tu cries, tu fais partir ta proie !

17 AOÛT

Le séchoir

Aujourd'hui, Marie lave les affaires de ses poupées : les chemises, les pantalons, les robes, et aussi les socquettes. Les poupées sont couchées, toutes nues, sur une serviette de bain. Elles sont bien. Il fait chaud dehors, et il y a un petit vent frais. Lorsque Marie a fini sa lessive, elle suspend les vêtements à la corde à linge et au séchoir. C'est très joli, ces habits de toutes les couleurs.
Réglisse n'aime guère la lessive. Il y a beaucoup trop d'eau à son goût !
Mais il apprécie beaucoup le séchoir. C'est très amusant parce qu'il peut grimper dessus. Dès que Marie est rentrée dans la maison, Réglisse se précipite. Il s'élance sur le séchoir et… patatras ! Tout s'écroule ! Un séchoir, ce n'est pas fait pour jouer !

18 AOÛT

La lessive

Marie lave ses habits de poupée :
Jupes, pantalons, chemisiers,
Socquettes, robes et chapeaux,
Pull-overs, pyjamas et manteaux.

Le soleil d'été va tout sécher.
Les couches des bébés, les draps,
La robe de mariée de sa poupée préférée,
Les taies d'oreillers et la housse du matelas.

Quelle lessive ! Marie y a passé la journée.
Et maintenant, elle attend que tout ait séché.

Une promenade

– Nestor ! Noisette !
Venez faire une grande promenade !
Le maître de Nestor va chercher sa laisse.
Le chien est très content. Il adore se promener !
Quant à Noisette, elle aimerait mieux
faire la sieste.
– Tu viens avec nous, Noisette ?
demande son maître.
– Miaou ! répond Noisette.
Après tout, elle ne va pas
les abandonner !
– Ouah ! Ouah ! aboie Nestor, ravi.
Les voilà partis. Bonne
promenade, les amis !

20 AOÛT

Perdue

Le maître de Noisette et de Nestor
les emmène loin dans les bois.
Nestor est si heureux qu'il court sur le sentier. Mais Noisette n'a jamais été
dans les bois. Elle va d'un arbre à un autre, se cache dans les buissons…
Puis, soudain, elle ne voit plus Nestor. Où est-il passé ?
– Miaou ! appelle-t-elle. Miaou !
Noisette s'est perdue. Soudain, elle entend, au loin :
– Ouah ! Ouah !
Serait-ce Nestor ? Mais oui ! Quelle chance !
Noisette est si heureuse de le voir qu'elle se frotte la tête
contre lui. Et Nestor lui donne un grand coup de langue.
La prochaine fois, ne t'éloigne pas, Noisette !

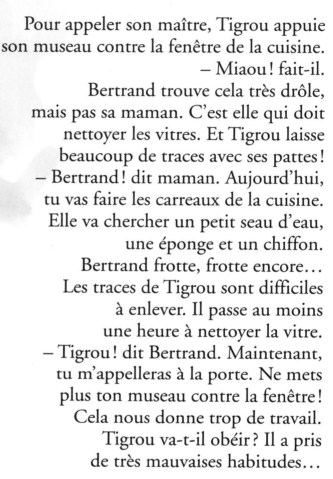

Le nez à la fenêtre

Pour appeler son maître, Tigrou appuie
son museau contre la fenêtre de la cuisine.
– Miaou! fait-il.
Bertrand trouve cela très drôle,
mais pas sa maman. C'est elle qui doit
nettoyer les vitres. Et Tigrou laisse
beaucoup de traces avec ses pattes!
– Bertrand! dit maman. Aujourd'hui,
tu vas faire les carreaux de la cuisine.
Elle va chercher un petit seau d'eau,
une éponge et un chiffon.
Bertrand frotte, frotte encore…
Les traces de Tigrou sont difficiles
à enlever. Il passe au moins
une heure à nettoyer la vitre.
– Tigrou! dit Bertrand. Maintenant,
tu m'appelleras à la porte. Ne mets
plus ton museau contre la fenêtre!
Cela nous donne trop de travail.
Tigrou va-t-il obéir? Il a pris
de très mauvaises habitudes…

Un chat pour dormir

Il fait jour si tard que Caroline n'arrive pas à dormir. Elle se tourne d'un côté,
puis de l'autre. Il fait chaud… Elle repousse le drap. Dehors, papa et maman
sont assis sur la terrasse. Ils bavardent gaiement. Caroline les entend rire.
Enfin, ils vont se coucher. Mais Caroline ne dort toujours pas.
Et Mistigri? Il ne dort pas non plus. Il grimpe sur la fenêtre de la chambre
de sa maîtresse. La fenêtre est ouverte. Hop! Il saute sur le lit de Caroline.
– Je suis bien contente de te voir, dit Caroline.
Mistigri se blottit contre elle. Et quelques instants plus tard,
Caroline dort à poings fermés!

23 AOÛT

Un pique-nique

Agathe a mis Boléro dans la sacoche de sa bicyclette.
Toute la famille part pique-niquer dans les bois, aujourd'hui. Papa et maman
sont déjà sur leurs vélos. Il y a un gros panier sur le porte-bagages de maman.
– En route! dit papa.
Boléro aime bien le vélo. Il n'a rien à faire et peut admirer le paysage.
Au bout d'une demi-heure, Agathe est fatiguée de pédaler.
– Peut-on s'arrêter dans cette clairière? demande-t-elle.
– Bonne idée! répondent papa et maman.
Ils s'arrêtent et retirent le torchon qui recouvre le panier.
Quelle bonne surprise! Il y a plein de bonnes choses à manger
à l'intérieur. Et un morceau de saucisse pour Boléro!

157

Un clown triste

Le clown est assis dans sa caravane. Il se tient la tête dans les mains. Il a l'air triste. Pourtant, c'est impossible... Les clowns ne sont-ils pas toujours en train de rire? Fleur saute sur les genoux de son maître pour le consoler.

– Miaou...

– Oh, ma petite chatte! dit le clown. Tu sais, rire tout le temps n'est pas facile.

Fleur ronronne. Il faut que son maître oublie ses soucis.

– Oui, je sais que tu me comprends, dit-il.

Il a déjà l'air moins triste.

– Je suis bien content que tu sois là, Fleur, ajoute-t-il en souriant.

Et voilà! Le clown est redevenu gai! Merci, gentille Fleur...

25 AOÛT

Ping-pong

Marc joue au ping-pong avec son papa, dans le jardin. Verveine les regarde.
La balle va d'un côté, puis de l'autre. Ça fait ping! Puis ça fait pong!
Verveine adore ce spectacle. Elle s'approche, puis soudain, bondit sur la table.
– Descends, Verveine! crient ensemble Marc et son papa.
Ils ne sont pas contents. Déçue, Verveine s'en va. Marc et son papa
se remettent à jouer. Mais Verveine continue à les regarder.
Elle aimerait tellement attraper cette balle…
– J'ai une idée! dit papa. Nous allons donner une balle à Verveine
pour qu'elle puisse jouer toute seule.
Et il lance une balle sur la terrasse. Verveine est ravie.
Mais en fait, elle ne joue pas au ping-pong. Elle joue au football!

26 AOÛT

Une souris à roulettes

Mimosa, la chatte chic du quartier, passe son temps
à se faire belle. De temps en temps, elle va chasser
en secret. Mais elle n'a jamais rien attrapé.
– Mimosa, déclare un jour Laura, tu ne fais pas
assez d'exercice. Si tu continues, tu deviendras
énorme et tu seras en mauvaise santé!
Alors la maman de Laura va dans
une boutique pour chats.
Et elle achète… une souris à roulettes!
Au début, Mimosa trouve ce jouet
stupide. Mais très vite, elle ne peut plus
s'en passer. Elle joue sans arrêt avec
sa souris! Elle saute pour l'attraper,
elle se roule sur l'herbe. Il suffit
d'un petit coup pour la faire voler
en l'air… Ensuite, elle la poursuit.
Mimosa fait rire tout le monde. Mais elle
s'en moque. Elle s'amuse tellement!

Les chats chics

Les chats chics, ils ne jouent pas,
Ils restent assis, l'air hautain
Et se toilettent dès le matin.
Ils n'aiment que le tralala,

Les falbalas, les embarras…
Attention, pas de faux pas !
Les chats chics font des chichis,
Même avec leurs grands amis !

Mais dès qu'ils sont seuls, oh la la !
Ils s'en donnent à cœur joie,
En courant de-ci, de-là,
Comme les autres chats !

Dans la meule de foin

Le fermier, sa femme et tous les gens de la ferme ont rentré le foin.
Ils ont travaillé dur pendant deux jours. Maintenant, le foin est entassé
dans la grange, bien au sec. Doudou est chargé de le surveiller. Pourquoi ?
Parce que les souris adorent s'installer dans le foin. Elles arrivent
par familles entières ! Alors, à partir d'aujourd'hui, Doudou habite dans la grange.
Comme cela, il pourra monter la garde nuit et jour. Le fermier est rassuré.
Il peut compter sur Doudou, car c'est un excellent gardien. Pour le récompenser,
la fermière lui apporte une pleine soucoupe de lait tous les soirs.
Doudou est très fier !

Le cartable

Demain, Arnaud recommence l'école. Il va rentrer en CP.
C'est un grand garçon, maintenant. Bien plus grand qu'avant les vacances !
Mais il a un peu peur, parce qu'il va avoir une nouvelle maîtresse.
– Tu sais, Pomponnette, je vais apprendre à lire et à écrire, dit-il.
Et j'ai un vrai cartable. Regarde !
C'est un très beau cartable rouge, avec des têtes de chats.
Pomponnette le trouve fort à son goût.
Elle se couche dessus pour faire la sieste.
– Non, Pomponnette ! Lève-toi !
proteste Arnaud. Il faut que je prépare
mes affaires pour l'école.
La chatte est très déçue.
Elle va bouder dans le couloir.
Voyons, Pomponnette !
Les cartables ne sont pas faits
pour les chats !

30 AOÛT

Les vacances sont finies

Les enfants du marinier courent sur le pont de la péniche.
– Doucement ! crie la femme du marinier.
Panache est couché sous la table. Toute cette agitation l'effraye un peu…
Heureusement, les enfants doivent faire leurs valises.
Les vacances sont terminées et dès demain, ils retournent en pension.
Ils ne rentrent pas le soir après l'école, car le marinier
et sa femme sont toujours en voyage sur leur péniche.
« Comme tout va être tranquille ! » se dit Panache.
Mais le marinier est triste. Sa femme pleure. Ils aimeraient bien garder
leurs enfants avec eux ! Et Panache ? Eh bien, il n'est pas contre…
À condition de prendre des vacances, lui aussi !

31 AOÛT

L'école

Adieu, baignades, promenades et jeux.
Bientôt l'école recommence.
Nous n'oublierons pas les vacances,
Ni le soleil ni le ciel bleu !

Les trois enfants du capitaine
Sont redevenus écoliers.
Ils doivent attendre six semaines,
Avant de revoir leur foyer…

À l'école, ils apprennent à lire,
À écrire et à compter.
Dès leur retour, ils vont rire
Chez leur papa le marinier !

1ᵉʳ SEPTEMBRE

L'orage

Il a fait très chaud aujourd'hui. Maintenant, c'est le soir.
De gros nuages gris et noirs s'amoncellent à l'horizon. Les animaux
se dépêchent de rentrer chez eux. Les souris filent dans leurs trous,
les lapins se précipitent dans leurs terriers, les oiseaux se cachent
dans leurs nids. Et les canards vont se blottir dans les buissons.
Quant aux chats, ils retournent dans leurs maisons. Verveine va chez Marc,
Mimosa bondit sur les genoux de Laura. Doudou, lui, se pelotonne
dans le tas de foin. Et Boléro ? Il est aplati sous le lit d'Agathe.
Mais tous les chats ne sont pas rentrés. Qui entend-on miauler, au loin ?

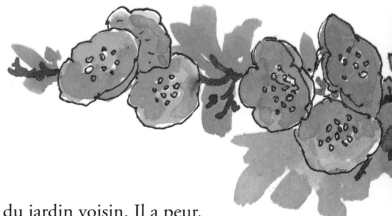

2 SEPTEMBRE

Où es-tu, mon chat ?

Réglisse est roulé en boule sous l'azalée du jardin voisin. Il a peur.
Tous ces nuages sombres dans le ciel, c'est inquiétant.
Et puis soudain, bang ! Crac ! Le tonnerre éclate et il tombe des trombes d'eau.
Réglisse met sa tête sous ses pattes. Jamais il n'a eu aussi peur !
– Réglisse ? Où es-tu, mon chat ? Minou ! appelle Marie.
Maman ne veut pas qu'elle aille chercher son chat dans le jardin.
C'est très dangereux de sortir lorsqu'il y a de l'orage.
Marie appelle par la porte de la cuisine à peine entrouverte.
Réglisse l'entend, mais ose à peine bouger. Enfin, le tonnerre s'arrête
pendant plusieurs secondes. Réglisse bondit au-dessus de la palissade
et court vers la maison.
– Que je suis contente ! s'écrie Marie.
Elle ferme vite la porte derrière lui. Maintenant,
tout va bien. Chacun est rentré chez soi.

Une cachette

Mimosa refuse de sortir, pour ne pas salir ses pattes. Et puis, elle veut que son pelage reste lisse et brillant. Mais le soir, grand-mère insiste pour que la chatte aille dans le jardin. Alors Mimosa se cache… Elle a trouvé une très bonne cachette!
Grand-mère l'appelle :
– Viens, Mimosa! C'est l'heure de jouer dehors!
Et elle la cherche dans toute la maison. Mimosa est tapie derrière la porte de la chambre. Elle ne fait aucun bruit, elle respire à peine… Grand-mère entre dans la pièce. Elle regarde sous le lit, derrière la commode. Pas de chat!
Puis, soudain, elle a une idée. Elle s'avance et ferme brusquement la porte.
– Ah! Te voilà! Petite coquine… dit-elle en riant.
Mimosa est obligée de sortir! Mais c'est pour son bien, n'est-ce pas?

4 SEPTEMBRE

Où est Mimosa?

Où est Mimosa?
En haut, en bas?
Elle n'est pas sortie.
Elle n'aime pas la pluie.
Elle est dans la maison,
Oui, mais où?
Telle est la question…
Aidez-moi, voulez-vous?
Avec vous, je parviendrai
À la trouver, c'est assuré!

5 SEPTEMBRE

Grand-mère

Les parents de Caroline sont partis pour le week-end. Grand-mère est venue
s'occuper d'elle. Caroline est ravie. Et puis, elle a la permission de veiller un peu.
Après le dîner, grand-mère prépare de la tisane et s'installe dans le salon
avec Caroline. Elle lui raconte des histoires du passé. En même temps,
elle tricote un très joli pull-over pour sa petite-fille. Clic! clac! font les aiguilles.
Caroline est très heureuse de rester là, avec grand-mère qui tricote,
devant une tasse de tisane bien chaude. Mistigri aussi est content.
Il ronronne sur les genoux de Caroline. Puis, soudain, il voit quelque chose
de très intéressant. Une pelote de laine bleue qui bouge… Vite, il bondit dessus!
– Non! Mistigri! crient ensemble Caroline et sa grand-mère.
Mistigri a presque défait le tricot de grand-mère! Il part en boudant.
Pourquoi n'a-t-il pas la permission
de jouer, lui aussi?
« C'est injuste! » se dit-il.

6 SEPTEMBRE

Pomponnette et l'hiver

– Maman! s'écrie Arnaud. Pomponnette
a encore grossi! Elle est aussi grosse que le bonnet
en fourrure de grand-mère.
Maman éclate de rire.
– Non, Arnaud! Pomponnette n'a pas grossi. Mais comme l'automne approche,
elle met son pelage d'hiver. Elle va avoir une fourrure plus épaisse. Tu comprends?
– Et quand viendra le printemps, elle perdra sa fourrure d'hiver?
– Exactement. Elle redeviendra comme avant. Maintenant, viens!
Il faut que j'aille t'acheter un manteau pour l'hiver. Toi, tu n'es pas un chat!

Les flaques

La nuit dernière, il a plu très fort. Maintenant, le soleil brille de nouveau.
– Tu viens, Boléro ? demande Agathe. Allons jouer dehors !
Agathe met son blouson et ses bottes jaunes en caoutchouc.
Boléro la suit d'un pas joyeux.
– Youpi ! crie Agathe en sautant à pieds joints dans une grande flaque.
Elle patauge dans la boue en riant. Ses bottes sont complètement mouillées.
Boléro recule. « Quelle horreur ! » se dit-il. Il se lèche les pattes.
Il n'a pas de bottes en caoutchouc, lui !

Mimosa et le caniche

Laura garde un petit caniche blanc.
Il s'appelle Charleston. Elle le trouve
charmant. Elle le brosse et lui attache
un nœud autour de la tête.
Mimosa boude. Elle est bien
plus belle que ce caniche ! Furieuse,
elle tourne le dos et s'en va.
– Viens ici, Mimosa ! dit Laura.
C'est vilain, d'être jaloux.
Mais Mimosa n'écoute pas
sa maîtresse. Elle va bouder
dans son panier. Na !

9 SEPTEMBRE

Les pommes

Dans le verger, les pommiers sont pleins de grosses pommes rouges.
– Il est temps de les cueillir, dit la fermière.
Les enfants du village viennent l'aider. Ils posent des échelles contre les troncs
et grimpent dans les arbres. Ils travaillent en s'amusant! Les pommes s'entassent
dans de grands paniers en osier. Ensuite, les garçons portent ces paniers
dans le grenier. Doudou leur montre le chemin.
– Nous avons bien mérité notre goûter! dit la fermière.
Elle a apporté un grand pichet de limonade et des biscuits. Mais Doudou
préfère son petit bol de lait. Il a même droit à un bout de saucisse. Quel régal!

Des croquettes pour Mistigri

C'est lundi. Il est encore tôt ce matin, et tous les magasins sont fermés.
Mais Mistigri a faim. Il miaule et se frotte contre les jambes de Caroline.
– Désolée, Mistigri. Il n'y a plus de croquettes, dit Caroline.
Nous irons en chercher bientôt.
– Miaou ! gémit Mistigri.
Il saute sur la table de la cuisine, puis dans le placard.
– Descends, vilain ! dit Caroline. Tu n'as pas le droit de faire ça !
Mistigri n'y comprend rien. Où sont ses provisions ?

11 SEPTEMBRE

La faim

Lorsqu'un chat a faim,
Inutile de regarder l'heure.
Que ce soit le soir ou le matin,
Il redevient un chasseur !
À la maison, cependant,
Il réclame sa pâtée.
Des croquettes, c'est appétissant,
Surtout avec un bol de lait…
Aussi se met-il à miauler
Quand c'est l'heure du dîner !

Une limace

Il a tellement plu que de grosses limaces sont apparues dans le jardin.
Quand Mimosa va se promener, elle fait bien attention. Elle n'a pas envie
de marcher sur une limace ! À son retour, Laura lui essuie les pattes.
– Oh ! dit-elle. Qu'est-ce que c'est que ça ?
Avec son torchon, elle fait tomber une grosse limace qui s'était installée
sur le dos de Mimosa. Puis elle la pose sur un bout de papier
et la ramène dans le jardin. Les limaces adorent la pluie.
Ce n'est pas comme les chats !

13 SEPTEMBRE

Le train

Il pleut. Maxime joue dans le salon.
Il a installé son train électrique sur le tapis.
– Tut, tut ! dit Maxime lorsque son train passe devant la gare.
Neige regarde tout cela avec attention. Comme c'est amusant,
ces wagons qui bougent ! Mais soudain, cling ! clang !
Il y a un accident. La locomotive a déraillé !
Un chat géant s'est installé sur la voie…
– Neige ! proteste Maxime. Pousse-toi !
Tu n'as pas le droit de venir sur les rails !
Mais Neige n'est pas d'accord. Elle aussi,
elle veut jouer !

14 SEPTEMBRE

Enfermé

Tigrou est monté en secret à l'étage.
Il a suivi Bertrand, qui allait chercher
son cartable dans sa chambre. Il a claqué
la porte derrière lui et il est parti à l'école.
Tigrou s'est installé sur la couette.
Quelle bonne sieste il va faire, ici ! Mais
il n'arrive pas à dormir. Soudain, il a envie
de sortir. Impossible ! La porte est fermée.
– Miaou ! Miaou !
Tigrou gratte la porte avec sa patte.
Mais la maman de Bertrand est sortie.
Et Bertrand est à l'école. Personne n'entend
ses miaulements… Voilà ce qui arrive
quand on fait les choses en secret !
Tigrou est enfermé…

15 SEPTEMBRE

Une surprise

Bertrand rentre de l'école.
– Comment s'est passée ta journée ?
demande maman.
– Très bien ! répond Bertrand.
Après son goûter, il va dans sa chambre. Il ouvre la porte…
– Miaou ! Miaou ! dit Tigrou.
Comme il est content de voir Bertrand !
– Tigrou ! dit Bertrand. Je t'ai manqué, n'est-ce pas ?
Lorsque Bertrand va se coucher, le soir, il sent quelque chose d'humide
sur sa couette. Il y a une grosse tache de pipi.
– Oh ! s'exclame maman. C'est ce coquin de Tigrou !
Maman défait le lit et donne à Bertrand la couette de la chambre d'amis.
– La prochaine fois, vérifie que Tigrou n'est pas enfermé,
dit maman en embrassant son petit garçon. Fais de beaux rêves, mon chéri !

Le gâteau

Le papa d'Arnaud sait très bien faire les gâteaux.
Tous les samedis, il met un tablier de cuisine et prend le livre de recettes.
– Aujourd'hui, je vais faire un gâteau au chocolat, décide-t-il.
Arnaud et Pomponnette viennent le regarder travailler. Puis le téléphone sonne.
Arnaud va répondre.
– Papa! appelle-t-il. C'est grand-père qui veut te parler…
Papa quitte la pièce un moment. Lorsqu'il revient avec Arnaud,
Pomponnette est installée sur le plan de travail. Elle est tellement occupée
à laper la pâte qu'elle ne les entend pas venir.
– Pomponnette! crie Arnaud.
– Gourmande! crie papa.
Il n'y a plus de pâte!
Papa est obligé de tout
recommencer…

Les bulbes

Marie a un petit bout de jardin rien que pour elle.
Sa maman l'a aidée à le préparer pour l'hiver. Maintenant, elle peut y planter
des bulbes de fleur. Marie creuse des petits trous dans la terre avec sa pelle.
Comme cela, les bulbes ont exactement la place qu'il leur faut. Réné
faire avec intérêt. De temps en temps, il l'a
– Tu ne viendras pas jouer par ici, n'est-ce pas,
mes bulbes tranquilles. Comme cela, mon j

18 SEPTEMBRE

Des trous

Les chats adorent creuser la terre.
Surtout dans les parterres !
Même s'il y a des fleurs,
Pour eux, creuser, c'est un bonheur !
Mais le jardin a l'air d'un gruyère
Et maman est très en colère !

19 SEPTEMBRE

Le dernier jour de l'été

– Nestor ! Noisette ! Venez !
Aujourd'hui, c'est le dernier beau jour
de l'été. Allons nous promener !
Monsieur Jobert va chercher la laisse de Nestor.
Les voilà partis. Noisette ouvre la marche.
Nestor court derrière elle. Ils font une longue
promenade dans les bois. Ils ne sont pas seuls.
Tout le monde veut profiter du beau temps…
Le soir, Noisette est couchée devant la cheminée,
à côté de Nestor. Dehors, le vent s'est levé.
Qu'il fait bon, dans la maison !
ura de l'orage, cette nuit, dit leur maître.
L'automne arrive…

Au feu!

Doudou surveille la grange nuit et jour. Le fermier y a placé
tout le foin et le blé qu'il a récoltés durant l'été. Les souris n'ont pas le droit
d'y entrer. Sinon, elles mangeraient tous les grains de blé.
Doudou a beaucoup de travail! Une nuit, il se réveille en sursaut.
Il a senti quelque chose. Alerte! C'est de la fumée! Vite, il court à la ferme
et miaule très fort devant la porte de la chambre de son maître.
– Miaou! Miaou!
Le fermier se réveille, ouvre la porte. Vite, Doudou l'entraîne vers la grange…
En voyant le gros nuage de fumée, le fermier comprend ce qui se passe.
Le toit de la grange est en feu! Il court chercher le tuyau d'arrosage.
En quelques minutes, le feu est éteint.
– Nous l'avons échappé belle! dit le fermier. Si Doudou ne nous avait pas réveillés,
toute la grange aurait brûlé. Doudou est un excellent gardien!
Bravo, Doudou!

Le clown qui ne rit pas

Fleur est devenue une artiste de cirque. Elle est très heureuse. Elle parcourt
le pays avec son maître. Comme c'est un clown, il est toujours gai. Il fait rire les gens.
Cependant, lorsqu'il est seul dans sa caravane, il plisse le front d'un air inquiet.
– Miaou ! dit Fleur.
Pourquoi son maître est-il triste ?
– Je me fais du souci, répond le clown. Le cirque ne marche pas très bien.
Nous n'avons pas assez de spectateurs.
Fleur saute sur les genoux de son maître et ronronne.
Bientôt, le clown oublie son chagrin. Cela va peut-être s'arranger !

La bousculade

Quelle bousculade dans le grenier !
On dirait qu'ils sont des milliers
À courir sur le plancher.
En réalité, c'est seulement Mistigri
Qui poursuit une souris.
Il saute et s'élance et bondit
Entre les malles et les cartons.
C'est un vrai tourbillon !

23 SEPTEMBRE

Au grenier

Le grenier est plein de trésors : des malles
et des cartons de vieux vêtements, des rideaux,
des chapeaux, des souliers, des livres,
des casseroles… Caroline se sert d'une paire
de vieux rideaux pour faire une tente.
Elle dispose des coussins sur le sol et
elle met la robe de mariée de grand-mère.
– Je suis une princesse d'Orient ! dit-elle.
Et toi, Mistigri, tu es un prince transformé
en chat. Une sorcière t'a jeté un sort. Mais
comment te changer en prince, maintenant ?
Et si elle lui donnait un baiser,
comme dans les contes ?

24 SEPTEMBRE

Panache et le perroquet

Panache se sent bien seul, maintenant,
sur sa péniche. Les vacances sont terminées
et les enfants du capitaine sont partis.
Ils ne reviendront pas avant de longues semaines.
Le marinier est désolé de voir son chat si chagrin. Alors il a une idée.
Un jour, il rentre chez lui avec un étrange paquet, recouvert de sa veste.
– Regarde, Panache ! dit-il.
Et d'un geste solennel, il ôte sa veste. Dessous, il y a une cage.
À l'intérieur se trouve un perroquet aux magnifiques couleurs.
– Pa-nache ! dit le perroquet.
– Miaou ! dit Panache.
– Mi-aou ! répond le perroquet.
Panache est ravi. Il a un nouvel ami !

25 SEPTEMBRE

Verveine est malade

Verveine ne se sent pas bien. Elle reste dans son panier et n'a pas envie de se lever.
Marc a beau l'appeler, elle ne bouge pas.
– Il faut l'emmener chez le vétérinaire, dit papa.
Il met Verveine dans le panier de voyage.
Puis avec Marc, ils se rendent chez le vétérinaire.
– Verveine a mangé quelque chose qui ne lui réussit pas, explique le docteur.
Il lui fait une piqûre. Verveine n'aime pas ça.
– Miaou ! proteste-t-elle faiblement.
– Cela va te guérir, explique le vétérinaire.
De retour à la maison, Marc passe le reste de la journée avec sa chatte. Le soir, Verveine ronronne.
– Elle va mieux ! s'écrie Marc, ravi.
Verveine est guérie !

26 SEPTEMBRE

Il faut souffrir pour être belle !

Mimosa a un beau pelage roux. Laura en est très fière. Elle donne des gouttes spéciales à Mimosa pour sa fourrure. La chatte accepte car les gouttes ne sont pas mauvaises. Mais quelquefois, elle lui donne un bain. Et Mimosa déteste ça ! La petite fille la lave avec du shampooing, puis elle la brosse et la sèche avec le séchoir à cheveux. Mimosa se laisse faire de mauvaise grâce. Cette brosse lui fait mal ! Elle n'aime pas l'eau et le séchoir la brûle.
– Il faut parfois souffrir un peu, pour être belle ! dit Laura.
En effet, Mimosa est éclatante de beauté !

Dans la voiture

Noisette, Nestor et Monsieur Jobert sont allés se promener sur la plage.
La mer est loin de la maison. Ils sont partis en voiture.
Noisette s'est couchée sur la tablette et Nestor sur la banquette arrière.
Durant le voyage, ils regardent le paysage : les vaches dans les prés, les dunes…
Bientôt, ils marchent sur le sable. Les vagues viennent mourir doucement
sur la plage. Les mouettes volent à toute allure et déchirent l'air de leurs cris.
– Ouah ! Ouah ! dit Nestor.
Il court après les mouettes. Mais Noisette se promène tranquillement
derrière son maître. Elle n'a pas envie de se mouiller les pattes !

28 SEPTEMBRE

Les amies

Agathe a deux très bonnes amies : Julie et Gina.
Agathe les trouve très gentilles toutes les deux.
Malheureusement, Julie et Gina ne s'entendent pas très bien.
Elles sont toujours en train de se chamailler.
Aujourd'hui, elles sont venues jouer toutes les trois.
– C'est mon tour de tenir Boléro ! dit Julie.
– Ce n'est pas vrai ! Tu l'as tenu déjà trop longtemps… proteste Gina.
Agathe n'est pas contente. Et Boléro non plus.
– Si vous vous disputez, donnez-moi mon chat ! s'écrie Agathe.
La dispute cesse comme par magie.
– D'accord, dit Julie. Gina peut prendre Boléro
sur ses genoux et après, ce sera mon tour.
L'après-midi est très réussi. Et Boléro est enchanté.
Il a été câliné sans arrêt !

29 SEPTEMBRE

La lecture

Maxime adore lire. Il va toutes les semaines à la bibliothèque.
Mais ce qu'il préfère, c'est le livre de contes que lui a donné sa grand-mère.
Il y a de très belles images. Neige aime lire, elle aussi.
Lorsque Maxime ouvre un livre, elle saute sur ses genoux et il lit à haute voix :
– Il était une fois dans un pays très lointain, le fils d'un pauvre meunier.
Il n'avait pas un sou mais il avait un chat très intelligent…
Neige retient son souffle. Maxime raconte comment le Chat botté
attrape un lapin pour le roi. Lorsque l'histoire est terminée,
Neige a envie d'applaudir. Le fils du pauvre meunier est devenu
marquis de Carrabas et a épousé une vraie princesse. Quelle fin merveilleuse !
« Et le Chat botté ? se demande Neige. A-t-il épousé une princesse chat ? »

30 SEPTEMBRE

Le Chat botté

Le Chat botté a de grandes bottes,
Pour marcher à très grands pas.
Son maître, lui, n'en a pas.
Il n'a ni chapeau ni bas…
Cependant, grâce à son chat,
Le voilà marquis de Carrabas !
C'est à cause d'un lapin en cocotte
Que le chat a offert au roi en repas…

1er OCTOBRE

Les feuilles mortes

Le vent souffle sur les jardins et les maisons. Caroline est bien au chaud dans le salon, mais pas Mistigri. Il trouve très amusant de jouer dehors. Il y a des milliers de feuilles qui tourbillonnent. Des feuilles jaunes, rouges, brunes… On dirait des oiseaux.
– Miaou! dit-il en bondissant pour les attraper.
Saperlipopette! Les feuilles s'envolent juste sous son nez! Mistigri saute plus haut et saisit toute une poignée de feuilles. Il continue, saute de tous les côtés.
Mais ces drôles d'oiseaux lui filent entre les pattes… Au bout d'un moment, il s'assied sur le petit tas de feuilles qu'il a attrapées. Il est épuisé. À cet instant, la porte de la cuisine s'ouvre en grand.
– Viens, Mistigri! dit Caroline. Je t'ai préparé un bon bol de lait…
Mistigri ne se fait pas prier. Il l'a bien mérité!

2 OCTOBRE

Après l'orage

Il y a eu un terrible orage. Maintenant, le vent
a cessé de souffler. Caroline met sa veste pour aller dans le jardin.
– Je profite du beau temps, dit-elle. Tu viens, Mistigri?
Quelle bonne idée! Mistigri en a assez d'être enfermé.
Dehors, Caroline va chercher un grand râteau.
– Maintenant, nous allons nettoyer le jardin, déclare-t-elle.
Elle ratisse les feuilles mortes et en fait un tas. Mistigri observe très attentivement.
Lorsque Caroline a presque fini, il court et plof! Il se laisse tomber en plein milieu du tas de feuilles. Les feuilles volent de tous côtés! Caroline est très en colère!
– Mistigri! proteste-t-elle. Vilain!
Mais le chat s'est enfui… Il n'a pas envie de se faire gronder.
On ne va pas le voir pendant un moment!

26 OCTOBRE

L'aventure continue

– La saison est terminée, dit le clown. Le cirque est fermé
jusqu'au printemps. Je vais aller vivre chez ma sœur.
Malheureusement, elle est allergique aux poils de chat.
Fleur est très intelligente. Elle comprend tout ce que lui dit son maître.
– Je suis désolé, ajoute-t-il. Nous devons nous séparer.
Fleur frotte son museau contre le nez du clown. Elle aime beaucoup son maître,
mais elle ne veut pas vivre chez sa sœur. Elle préfère explorer le vaste monde.
Et puis, elle déteste rester tout le temps dans une maison.
Surtout une maison qui ne bouge pas !
– Miaou ! dit-elle.
Elle reverra peut-être son maître au printemps,
lorsque le cirque recommencera…

Une maison de poupée

Marie a une très belle maison de poupée. Grand-mère l'a faite spécialement
pour elle. Il y a tout ce qu'il faut : une cuisinière avec de vraies casseroles,
un canapé, de vrais livres et un service de table en porcelaine. À l'étage,
il y a un lit à baldaquin dans la chambre et une salle de bains avec des toilettes.
Les poupées ne manquent de rien. Pourtant…
– Elles n'ont pas de chat ! s'exclame Marie.
Réglisse décide de régler ce problème.
Il saute dans la maison de poupée et se couche au milieu du salon.
– Non ! Réglisse ! Tu es trop grand pour cette maison !
proteste Marie. Ici, tu es un géant !

28 OCTOBRE

Des souris dans le placard

Il y a des traces de souris
dans le placard de la cuisine.
– Pomponnette va rester ici ce soir, dit maman.
Avant d'aller se coucher,
Arnaud a une petite conversation avec sa chatte.
– N'oublie pas, Pomponnette ! Tu ne dois pas t'endormir.
Aucune souris ne doit entrer.
– Miaou… répond Pomponnette.
Elle cligne des yeux d'un air entendu.
« Elle a compris », se dit Arnaud.
Plus tard, il vient faire un petit tour
dans la cuisine. Pomponnette est toujours là…
Mais elle dort !
– Pomponnette ! appelle Arnaud.
Réveille-toi ! Tu dois surveiller les souris.
Pomponnette ouvre à peine un œil.
Il est tard et elle est fatiguée !

Une visite de la maîtresse

La maîtresse de Caroline vient la voir cet après-midi.
Elle rend visite à tous les enfants de sa classe.
Caroline a rangé sa chambre et sa maman
a préparé une tarte aux pommes et du thé.
Caroline est un peu intimidée.
Mais c'est une très gentille maîtresse.
Caroline lui montre sa chambre et ses jouets.
– C'est très joli, dit la maîtresse.
Mais sais-tu ce que j'aimerais voir par-dessus tout ?
– Non, madame ! dit Caroline.
– Tu as un chat. Comment s'appelle-t-il, déjà ?
– Mistigri ! répond Caroline, enchantée.
Elle va tout de suite le chercher.
Quelques minutes plus tard, Mistigri ronronne
sur les genoux de la maîtresse.
Ils sont devenus d'excellents amis !

30 OCTOBRE

Les chatons de Mimosa

Mimosa va avoir des chatons.
Elle est devenue très grosse. Elle peut à peine marcher !
– Les bébés vont naître d'un instant à l'autre, dit la maman de Laura.
Elle a mis une couverture neuve dans le panier de Mimosa
qu'elle a placé près de la cuisinière. Comme cela, les chatons
n'auront pas froid. Mimosa grimpe péniblement dans son panier.
Le lendemain, il y a trois petits chatons qui sont nés !
Un blanc, un roux et un tacheté.
– Comme ils sont mignons ! s'écrie Laura.
Mimosa les trouve très beaux, elle aussi. Elle les nettoie avec soin.
Ils sont encore très petits. Ils se blottissent contre leur maman pour boire son lait
et prendre des forces. Puis ils dorment. Chut ! Il ne faut pas les réveiller.

31 OCTOBRE

Trois petits chatons

Trois petits chatons,
Très mignons
Sont nés cette nuit.
Surtout, pas de bruit !

Mimosa veille
Sur leur sommeil.
Elle est très fière.
C'est une heureuse mère !

Maintenant, il faut leur trouver
Un nom pour chacun.
Avez-vous une idée ?

ROUGINETTE -

Noireau-
NOIREAU

BLANCHE-BLANCHE

Un collier de cacahuètes

Bertrand fabrique un collier très étrange. À l'aide d'un fil, il assemble
le contenu d'un paquet de cacahuètes pour le suspendre à la mangeoire des oiseaux.
C'est un collier d'au moins deux mètres de long! Une fois son ouvrage terminé,
Bertrand sort dans le jardin et l'accroche à la mangeoire. Il y suspend aussi
un filet de graines de tournesol et des boules de pain. Comme cela,
les oiseaux n'auront pas faim, cet hiver.
Puis Bertrand rentre dans la maison et s'assied près de la fenêtre.
Les oiseaux aiment-ils les cacahuètes? Mais ils ne viennent pas.
Où sont-ils? Bertrand regarde avec attention.
Tiens, il y a quelque chose qui bouge, sur la mangeoire…
Oh! Tigrou s'est installé là pour attraper les oiseaux.
Voilà pourquoi ils ne viennent pas
goûter les cacahuètes!

2 NOVEMBRE

Tigrou se fait gronder

Bertrand
court dans
le jardin pour
chasser Tigrou de la mangeoire des oiseaux.
– Tigrou! Descends de là tout de suite! crie-t-il, très en colère.
Tigrou sursaute. Il ne comprend pas. Il était très bien, ici… Enfin, il se décide
à sauter à terre. Sous son poids, la mangeoire vacille. Plaf! Elle tombe sur le côté.
Bertrand est fâché. Il redresse la mangeoire et remet le collier de cacahuètes
en place, ainsi que le filet de graines de tournesol et les boules de pain.
Puis il regarde autour de lui. Tigrou est parti…
– Vous pouvez venir, mes petits oiseaux! appelle-t-il. Le danger est passé!

De petits pas

Caroline n'arrive pas à dormir.
Elle entend des petits pas au-dessus de sa tête. Des petits pas qui trottinent…
Et puis aussi des grattements. Et des petits couinements. Toutes les nuits,
une famille de souris sort de son trou pour jouer dans le grenier.
Elles sont une bonne dizaine et jouent à s'attraper.
Cela fait beaucoup de bruit. Caroline en a assez!
– Mistigri, dit-elle. Ce soir, tu dormiras dans le grenier.
Aussitôt dit, aussitôt fait. Mistigri s'installe dans le grenier pour la nuit.
Et les souris? Eh bien, elles sont allées jouer dans un autre grenier!

4 NOVEMBRE

Jeux de souris

Dix petites souris
Cette nuit, à minuit,
Leur trou ont quitté
Pour jouer dans le grenier!
Elles peuvent se balancer
Aux ficelles des paquets,
Sauter, danser, grignoter.
Que de bruit! Que de bruit!
La maison en est remplie.
Alors, pour faire taire ce chahut
Le chat vient, gros moustachu.
Finie la sarabande! Les souris ont disparu!

204

5 NOVEMBRE

Les chatons de Mimosa

Mimosa a eu une portée de trois chats. On les entend à peine et ils ne quittent pas leur maman. Ils passent la journée à téter et à dormir. Mais ils grandissent très vite. Ils deviennent plus gros et plus audacieux chaque jour. Ils jouent avec les oreilles de Mimosa et avec sa queue… Mimosa en a assez! Mais les chatons commencent aussi à sortir du panier. Mimosa s'inquiète.
– Miaou? «Où allez-vous?» demande-t-elle.
En entendant leur mère, les chatons retournent dans le panier. Ils sont si bien, ici!

6 NOVEMBRE

Jeux de chats

– Tes chatons commencent à te donner du souci, n'est-ce pas? demande Laura à Mimosa. Ne t'inquiète pas. Je connais des jeux pour les chats.
Elle va fouiller dans le panier à tricots de sa maman. Là, il y a au moins une centaine de pelotes de laine, de toutes les couleurs. Avec cette laine, elle fabrique de toutes petites pelotes auxquelles elle laisse un long fil.
– Regardez! dit-elle aux chatons. Ne dirait-on pas des souris?
Puis elle prend une grosse pelote avec un très long fil et attache le fil à la poignée de la porte. La pelote se balance de gauche à droite.
Les chatons essayent de l'attraper. Comme ils s'amusent!

7 NOVEMBRE

Le givre

– Regarde, Réglisse ! Il a givré, cette nuit ! dit Marie.

Les branches des arbres sont devenues blanches et l'herbe aussi.

Marie met son manteau, son bonnet, son écharpe et ses gants.

– Tu viens, Réglisse ? demande-t-elle en ouvrant la porte.

– Miaou ! fait Réglisse.

Ils traversent la pelouse. Leurs pas laissent des traces sur l'herbe givrée…

Les empreintes de Marie sont grandes et celles de Réglisse toutes petites.

– Marie ! Viens boire ton chocolat chaud ! appelle maman.

Marie rentre en courant. Elle adore le chocolat chaud.

– J'irai jouer dehors cet après-midi, déclare-t-elle.

Mais l'après-midi, le givre a disparu.

Le soleil brille. C'est encore
mieux, non ?

8 NOVEMBRE

Dans l'étable

– Il y aura encore du givre cette nuit, dit le fermier.
Il faut rentrer les vaches dans l'étable.
Doudou aide le fermier et sa femme.
– Meuh ! font les vaches.
Elles n'aiment pas beaucoup marcher et encore moins se dépêcher.
Enfin, elles arrivent à l'étable. Il fait bon à l'intérieur. Cela sent le foin sec.
Les vaches sont ravies de ne plus être dehors. Et Doudou apprécie leur compagnie.
Il y a au moins trente vaches, maintenant, avec lui. Il ne dormira plus seul !
Ce soir, il se pelotonne contre la Noiraude, la plus gentille
des vaches de la ferme. Bonne nuit, Doudou !

Dans la boîte

Arnaud ne s'est pas réveillé à l'heure, ce matin.
Il s'habille à toute allure.
– Vite! dit maman. Tu vas être en retard!
Arnaud met son manteau, prend son cartable
et la tartine beurrée que maman lui donne. Clac!
La porte se referme derrière lui. Arnaud est parti.
Pomponnette n'y comprend rien. Il ne lui a pas donné
ses croquettes, comme chaque matin. Et maintenant,
elle a vraiment très faim. Pomponnette regarde dans
le placard. La boîte de croquettes est pourtant là…
Elle la renifle… Miam! Voilà l'ouverture…
D'un coup de patte, Pomponnette renverse
la boîte. Quel bonheur! Elle nage dans
les croquettes, à présent. Pomponnette
se régale. Quel excellent
petit déjeuner!

10 NOVEMBRE

La glace

L'étang est recouvert de glace. Les oiseaux viennent
s'y poser. Ils s'amusent beaucoup jusqu'à ce que Nestor
sorte dans le jardin en aboyant. Effrayés, les oiseaux vont se réfugier dans l'arbre.
Nestor s'approche de l'étang. «C'est étrange! se dit-il. Avant, il y avait de l'eau.
Et maintenant, elle est devenue dure! Je ne peux plus la boire.» Noisette arrive
à son tour. Elle est très intriguée, elle aussi. Elle pose une patte sur la glace,
puis une autre, et une autre encore. Crac! fait la glace. Noisette n'a pas le temps
de reculer. Elle tombe dans l'étang! Heureusement, Nestor n'est pas loin.
Il saisit la chatte par le cou et la tire de l'eau. Vite, il la ramène à leur maître.
Celui-ci la sèche avec une serviette et la pose dans son panier, devant la cuisinière.
– Ne bouge pas d'ici! ordonne-t-il. Sinon, tu tomberais malade…
Noisette éternue. Elle n'a plus du tout envie de sortir!

11 NOVEMBRE

Un festin

Fleur est redevenue une chatte vagabonde. Depuis que le cirque a fermé, elle est seule.
Elle a très froid. La nuit, il gèle. Comme elle regrette son panier et sa gamelle
de croquettes, dans la caravane du clown! Soudain, elle renifle une très bonne odeur.
Ça sent la viande et le fromage… Fleur se laisse guider par son odorat.
Elle arrive ainsi devant une cuisine. Mais pas n'importe laquelle.
La cuisine d'une pizzeria! La porte s'ouvre et le cuisinier aperçoit Fleur.
– Bonjour, minette! dit-il. Viens! J'ai quelque chose pour toi!
Dans la cuisine bien chaude, Fleur fait un véritable festin. Des spaghettis
avec de la sauce à la viande, des morceaux de saucisse et de fromage…
Lorsqu'elle est rassasiée, elle a le droit de dormir au chaud, près du four.
Bonne nuit, Fleur!

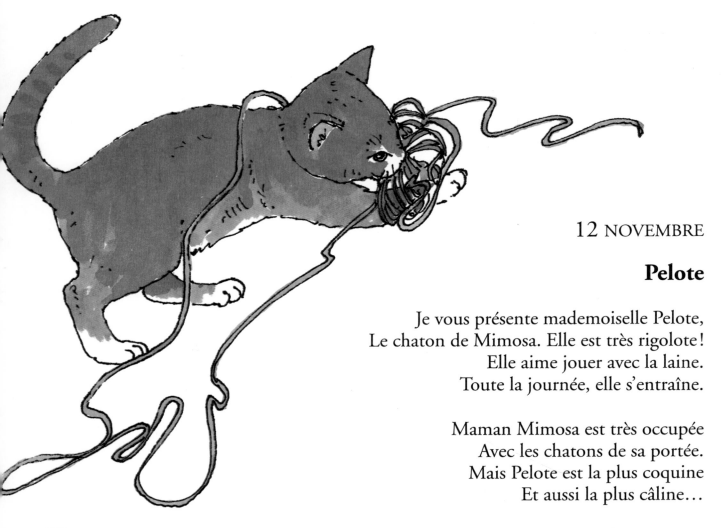

12 NOVEMBRE

Pelote

Je vous présente mademoiselle Pelote,
Le chaton de Mimosa. Elle est très rigolote!
Elle aime jouer avec la laine.
Toute la journée, elle s'entraîne.

Maman Mimosa est très occupée
Avec les chatons de sa portée.
Mais Pelote est la plus coquine
Et aussi la plus câline…

13 NOVEMBRE

Les chatons s'en vont

Chaque soir, lorsque les chatons s'endorment, Mimosa est épuisée.
– Chère Mimosa, dit un jour maman. Tes chatons sont grands, maintenant.
Ils peuvent manger et boire tout seuls.
Ils sont prêts à s'en aller dans de nouvelles maisons.
Quelques jours plus tard, une dame arrive avec une petite fille.
– C'est celui-ci que je veux, maman ! dit l'enfant.
Et le petit chaton blanc quitte la maison de Laura.
Le lendemain, un petit garçon entre dans le salon avec son papa.
Et ils prennent un autre chaton. Pauvre Mimosa ! Elle est très triste.
Elle ne veut pas qu'on lui enlève son dernier enfant.
Le soir, elle emmène Pelote avec elle dans le jardin. Laura est très inquiète.
Trois jours plus tard, Mimosa revient. Mais sans Pelote.
– Oh ! Mimosa ! Comme je suis contente de te revoir ! dit Laura. Mais où est Pelote ?
N'aie pas peur. On ne la donnera à personne. Elle peut rester ici avec toi.
Mimosa est rassurée. Elle va vite chercher Pelote dans le jardin.
Elle l'avait bien cachée. On ne sait jamais !

La grippe

Marc ne se sent pas bien, aujourd'hui.
Il a très chaud et puis très froid.
Ses yeux pleurent, il a mal à la gorge
et il tousse. Maman prend sa température.
– Tu as de la fièvre, dit-elle.
C'est une petite grippe. Il vaut mieux
que tu restes couché, aujourd'hui.
Toute la journée au lit ? « Je vais m'ennuyer »,
se dit Marc. Mais il est content
de ne pas aller à l'école.
– Miaou !
Soudain, Verveine est à côté de lui.
Elle se pelotonne sur l'oreiller. Quel plaisir
d'avoir la compagnie de sa chatte !
Marc va guérir très vite, c'est certain…

15 NOVEMBRE

Les devoirs

Agathe est une grande fille. Elle sait déjà écrire et faire des additions.
Le soir, lorsqu'elle rentre de l'école, elle prend son goûter.
Puis elle va tout de suite faire ses devoirs sur la table de la salle à manger.
Boléro s'assied près d'elle. La tête penchée, il regarde le stylo dans la main d'Agathe.
Il monte et redescend sur le papier… C'est très intéressant.
Boléro lance sa patte pour l'attraper.
– Non ! s'écrie Agathe. Ne touche pas à mon stylo ! Je ne joue pas, Boléro.
Il faut que je fasse mes devoirs.
« Dommage ! » se dit Boléro. C'était un jeu très amusant !

16 NOVEMBRE

Gourmand

En général, Panache n'est pas gourmand. Mais il y a une chose qu'il adore : c'est le poisson frais. Une fois par semaine, le capitaine lui en donne une pleine assiette. Panache est ravi. Mais aujourd'hui, il se passe quelque chose de bizarre. Ça sent le poisson partout ! En fait, le marinier transporte une cargaison de poissons. La cale en est pleine. Panache aimerait beaucoup y descendre. – Pas question ! dit le capitaine. Ce poisson est pour l'usine qui va le mettre en conserve. Tu auras ta ration demain, comme d'habitude. « Tant pis ! se dit Panache. J'attendrai encore un peu. »

17 NOVEMBRE

L'aspirateur

Réglisse a très peur de l'aspirateur de maman. Dès qu'il l'aperçoit, il court se cacher. Hier, Marie a reçu un aspirateur jouet. Il marche avec des piles. On dirait un vrai ! Elle a déjà aspiré la poussière sur sa descente de lit et sous le canapé du salon. Et maintenant ? Marie regarde autour d'elle. Tiens, voilà Réglisse. Pour une fois, il n'a pas peur de l'aspirateur. Il reste tranquillement où il est et observe sa maîtresse en clignant des yeux. – J'ai une idée ! s'écrie Marie. Je vais passer l'aspirateur sur ton dos ! Vroum ! Vroum ! Marie passe la brosse de l'aspirateur sur Réglisse. Le chat est très content. Ce petit aspirateur lui convient tout à fait. Il lui gratte si bien le dos !

18 NOVEMBRE

La toile d'araignée

Quelle est cette drôle de colle
Sur mes oreilles et mon museau?
Le chat s'étire et caracole
Pour se débarrasser le dos
De cet encombrant filet.
C'est une toile d'araignée!
Cette bête aime les greniers,
Pour y tisser sa toile
Sans être dérangée!

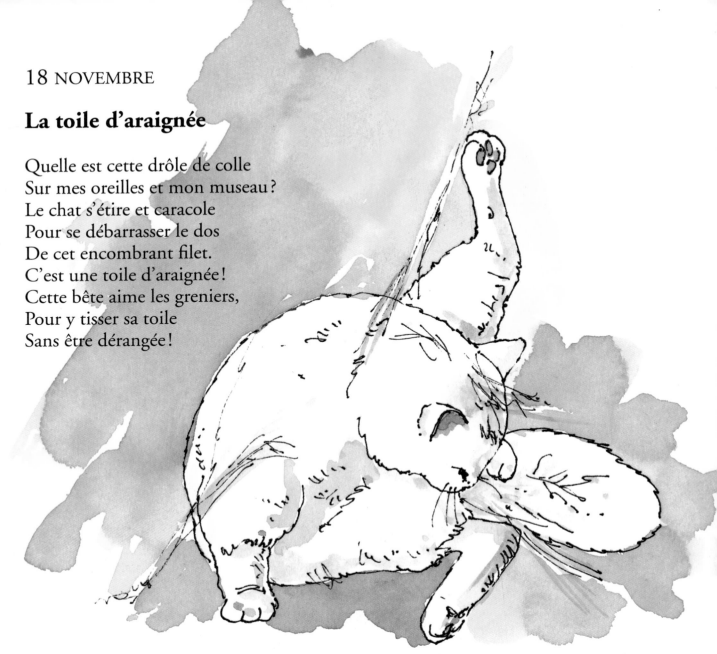

19 NOVEMBRE

Des fils collants

Neige a rampé sous l'armoire, dans la chambre de Maxime. Ici, personne
ne la trouvera. Elle va pouvoir faire la sieste tranquillement. À l'heure du repas,
Neige sort de sa cachette. Mais qu'y a-t-il sur son dos? On dirait des fils collants.
Elle en a aussi sur la queue, sur les oreilles… En la voyant, Maxime éclate de rire.
– Ha! Ha! Comme tu es drôle, Neige! Tu es couverte de toiles d'araignée.
On dirait que tu n'as pas fait ta toilette depuis des années.
Neige est très vexée. Elle se met dans un coin et se lèche avec application.
Quelle insulte! Ne pas se laver, elle, une chatte si propre!

212

20 NOVEMBRE

Les champignons

Arnaud va chercher des champignons
avec son papa. Il ne faut pas s'aventurer
tout seul dans les bois! Et il ne faut ramasser
que les champignons que l'on connaît.
Car certains sont vénéneux. Par chance,
le papa d'Arnaud connaît bien les champignons.
– Regarde, explique-t-il. Voici des amanites rouges,
elles ne sont pas comestibles. Là, ce sont des lépiotes…
et là, des cèpes. Nous pouvons les manger.
Au bout d'un long moment, ils trouvent aussi
des girolles. Ils ont un plein panier
de champignons, à présent! Arnaud raconte
sa promenade à Pomponnette. Il lui montre
aussi ses champignons. Pomponnette ronronne.
Hum… Ça sent bon les bois!

21 NOVEMBRE

Le poney

Le fermier a maintenant un poney dans son enclos.
Tous les soirs, une petite fille vient s'occuper de lui. Elle s'appelle Sandrine.
Durant la journée, Sandrine va à l'école. Le poney reste seul. Il est triste.
Il n'a personne à qui parler… Alors Doudou décide d'aller lui tenir compagnie.
– Hihihi! fait le poney en voyant le chat.
Il frotte son long museau contre Doudou. Ce dernier est un chat très courageux.
Il n'a jamais peur. Il renifle le poney… Maintenant, ils ont fait connaissance.
Il ne leur reste plus qu'à devenir de bons amis!

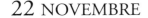

Une écharpe

La grand-mère de Maxime lui a donné
une nouvelle écharpe. Elle l'a tricotée
elle-même, avec toutes les couleurs
qu'elle avait. Maxime ne l'aime pas
beaucoup parce qu'il y a des rayures roses.
« Le rose, c'est pour les filles », pense-t-il.
Neige, elle, trouve cette écharpe très
à son goût ! Regardez comme elle zigzague
sur le sol… Neige essaye de l'attraper.
Elle s'accroupit sur ses pattes arrière
et bondit sur l'écharpe. Hop !
– Elle te plaît ? dit Arnaud en riant.
Eh bien, ce sera notre écharpe pour jouer !

23 NOVEMBRE

Chat et perroquet

La pluie frappe les vitres de la timonerie. Panache regarde le paysage.
Il fait trop froid pour sortir sur le pont. Et puis, il n'a pas envie de se mouiller.
La cage du perroquet est posée dans la cabine. Pastèque le perroquet
est l'ami de Panache. Pastèque l'appelle souvent.
– Pa-nache ! crie-t-il d'une voix aiguë. Pa-nache !
Panache est ravi. Quel animal intelligent !
Lui, il est bien incapable de dire : « Pas-tèque ! »

24 NOVEMBRE

Un coussin neuf

Caroline enlève le vieux pull-over qui tapisse
le panier de Mistigri. Il est très sale !
– Il te faut un coussin neuf, dit Caroline.
Elle jette le vieux pull-over à la poubelle
et va chercher un coussin neuf dans sa chambre.
Il est recouvert de satin rose. Elle le met
dans le panier de Mistigri. Mais le chat
est très surpris. Où est son vieux pull-over ?
– Eh bien ! Va essayer ton nouveau matelas ! dit Caroline.
– Miaou !
Mistigri tourne le dos et quitte la pièce.
Il n'aime pas du tout ce coussin-là !

25 NOVEMBRE

Un paquet de chips

Bertrand regarde la télévision dans le salon.
Il mange des chips. Cela fait beaucoup de bruit,
quand il en prend une dans le paquet.
Et beaucoup de bruit quand il la croque.
Mais Bertrand n'y fait pas attention.
Il est très content. Tigrou saute sur ses genoux.
Il aime les chips, lui aussi.
– Miaou ! demande-t-il.
– Va-t'en, Tigrou ! proteste Bertrand.
Je ne vois plus rien.
Il repousse le chat. Mais Tigrou ne s'intéresse pas
à la télévision. Il veut des chips, voilà tout !
Il plonge la patte dans le paquet.
Cette fois, Bertrand va être obligé de partager !

Un dessin pour grand-mère

Demain, c'est l'anniversaire de grand-mère. Agathe lui fait un joli dessin.
C'est le portrait de grand-mère avec un chapeau de fête. Agathe dessine aussi
des guirlandes et des lanternes, et une table avec un gâteau d'anniversaire.
Il y a soixante-cinq bougies sur le gâteau.
Parce que grand-mère va avoir soixante-cinq ans…
– Quel beau dessin ! dit maman. Grand-mère sera très heureuse.
Lorsqu'Agathe a terminé, elle va jouer avec Caroline.
Mais après le dîner, elle jette un coup d'œil à son dessin.
– Maman ! appelle Caroline en pleurant. Regarde !
Il y a des empreintes de pattes sur la feuille. Boléro a marché dessus.
Il voulait dessiner, lui aussi. Mais le beau dessin est gâché !
Il n'y a plus qu'à recommencer.

27 NOVEMBRE

Un exposé

Arnaud doit faire un exposé à l'école. C'est la première fois. Il parlera des chats, bien sûr. Ce sont ses animaux préférés. Il va à la bibliothèque avec sa maman. Là-bas, il y a une étagère remplie de livres sur les animaux. Arnaud emprunte trois gros livres sur les chats, avec beaucoup d'images et de photographies. Comme cela, il les montrera aux enfants de sa classe. Une fois chez lui, il s'assied à la table pour lire ses livres. Ils parlent des petits chats, des gros, des chats noirs, des chats blancs, des gris, des rayés, des tachetés, des chats méchants, des chats gentils, des chats des villages et des chats sauvages. – Oh la la! s'exclame Arnaud. Il y en a, des choses à dire, sur les chats!

28 NOVEMBRE

Pomponnette à l'école

Demain, Arnaud fait son exposé sur les chats. Mais il ne sait pas par où commencer. Alors, il a une idée. Il va emmener Pomponnnette à l'école avec lui! Le lendemain matin, Arnaud range ses livres dans son cartable. Ensuite, il met Pomponnette dans son panier de voyage. Papa les emmène dans sa voiture. À l'école, les enfants trouvent l'exposé d'Arnaud très intéressant. Et ils apprécient beaucoup Pomponnette. Ils veulent tous la caresser. « J'adore l'école! » se dit Pomponnette en ronronnant.

Les valises

Maman et Laura courent dans toute la maison.
De la cuisine à la chambre, du salon à la salle de bains…
Mimosa et Pelote n'y comprennent rien. Qu'arrive-t-il à leurs maîtresses?
C'est simple: maman, papa et Laura font leurs valises.
Demain, ils vont tous prendre l'avion pour l'Espagne. Le vétérinaire
a fait une piqûre à Mimosa et à Pelote pour qu'elles aient le droit de voyager.
– Encore une nuit, dit Laura, et c'est le départ.
Demain après-midi, nous serons sous le soleil espagnol!
Mimosa et Pelote ne sont pas tranquilles. Et si elle oubliait de les emmener?
Ils se cachent sous le lit et regardent Laura remplir ses valises. Pelote est curieuse.
Elle sort de sa cachette. Elle aime beaucoup la valise ouverte sur le lit…
Elle a l'air vraiment très confortable! Pelote grimpe dedans et se pelotonne
contre la chemise de nuit de Laura. Puis elle s'endort. Quel étrange panier!

Le soleil d'Espagne

Tout le monde a fait un excellent voyage en avion.
Cependant, Mimosa et Pelote avaient hâte de sortir de leur panier.
Maintenant, elles sont sur la terrasse d'une maison espagnole.
Il y a du soleil. Il y a aussi la mer et la plage.
Mimosa s'étire sur les dalles chauffées par le soleil.
Elle va faire un bon petit somme! Quant à Pelote, elle veut jouer.
– Miaou! dit-elle en se frottant contre les jambes de sa maîtresse.
– Ah! dit maman. Je vois! Tu veux ta pelote! J'y ai pensé, rassure-toi.
Elle rentre dans la maison et en ressort avec une pelote de laine.
Comme cela, le chaton peut jouer, Mimosa peut somnoler au soleil
et maman peut se reposer tranquillement sur sa chaise longue.
Mais le bruit des vagues finit par bercer tout ce petit monde.
Pelote cesse de jouer en bâillant et maman et Laura
ont fermé les yeux. Quelles paisibles vacances!

1ᵉʳ DÉCEMBRE

Le trou de souris

Rapide comme l'éclair, une souris traverse la pièce. Verveine lui court après.
Mais la souris s'engouffre dans un petit trou. Verveine s'assied près du mur.
Tôt ou tard, la souris finira bien par sortir, non ?
Un moment plus tard, la souris court devant le placard.
Elle tient un morceau de fromage entre les dents.
– Kssss ! dit-elle en passant devant Verveine.
– Miaou ! répond Verveine.
Elle regarde toujours le trou. Alors, sa souris va-t-elle sortir ? Marc a tout vu.
– Que tu es bête, Verveine, s'exclame-t-il. Les souris ont plus d'une porte
pour entrer dans leur maison, tu sais ! Regarde, la revoilà !
Mais Verveine ne veut rien entendre. Elle veut attraper sa souris,
un point c'est tout ! L'autre souris attendra…

2 DÉCEMBRE

Une souris jouet

Mais quel est ce drôle de bruit ?
Cela cliquette sur le parquet.
C'est Mistigri ? Mais oui, c'est vrai !
Et il joue avec sa souris !

Drôle de souris, me direz-vous.
Elle ne couine pas, ne saute pas…
À la place des pattes, des roues
Et sur le côté, qu'est-ce qu'il y a ?

Une clef ? Mais oui, c'est vrai !
C'est donc une souris mécanique
Qui fait la joie de ce minet.
Elle est toujours là, c'est magique !

À force de rouler sans arrêt,
La souris est fatiguée.
Mais Mistigri est trop content
Pour s'arrêter un seul instant !

Au lit !

– Il est l'heure d'aller au lit, Pomponnette ! dit Arnaud.
Il prend sa chatte dans ses bras et la porte dans sa chambre. Puis il se met en pyjama.
Dans l'armoire, il prend un pyjama pour Pomponnette. Pourquoi pas, après tout ?
Il lui met la veste… Parfait ! Puis le pantalon… Mais il est un peu grand.
Et Pomponnette ne s'y sent pas à l'aise.
D'un bond, elle secoue cet encombrant pyjama.
Eh oui, Arnaud, les chats n'ont pas besoin de vêtements !
Leur fourrure leur suffit.

4 DÉCEMBRE

Les dents

– Arnaud ! dit maman. N'oublie pas
de te brosser les dents avant de te coucher.
Arnaud se lave le visage dans la salle de bains.
– À toi, Pomponnette, dit-il.
Et il frotte un gant de toilette sur le museau
de la chatte. Pouah ! Pomponnette recule.
Elle n'aime pas l'eau. Puis Arnaud se brosse
les dents.
– C'est ton tour, dit-il ensuite en frottant
les dents de Pomponnette. Pouah !
Quel goût horrible ! Cette fois, Pomponnette
s'enfuit en miaulant. Arnaud est très déçu.
Pomponnette n'aime pas faire sa toilette ?

5 DÉCEMBRE

À table !

Arnaud a mis une serviette autour de son cou pour manger.
Pomponnette est à table, elle aussi. Maman a placé une assiette
pleine de croquettes devant son nez.
– Tu vois, Pomponnette, il faut tenir sa fourchette
comme ça, explique Arnaud.
Il essaye de donner des croquettes
à Pomponnette avec sa fourchette.
Mais il n'arrive pas à les attraper.
– Elles sont trop dures, explique maman.
C'est pour cela que les chats
les croquent directement
dans leur assiette !

6 DÉCEMBRE

Dans le cartable

Ce matin, pendant
que maman a le dos tourné,
Arnaud met Pomponnette
dans son cartable. En principe,
les chats n'ont pas le droit d'aller
à l'école. C'est pourquoi Arnaud ne dit
rien à la maîtresse. La classe commence.
– Combien font deux et deux, Arnaud ?
– Miaou ! dit Pomponnette.
Ce n'est pas la bonne réponse, bien sûr.
La maîtresse a deviné qu'Arnaud avait invité Pomponnette.
– Elle peut rester aujourd'hui, dit-elle. Mais c'est la dernière fois.
Une fois libre, Pomponnette va se coucher sur le rebord de la fenêtre.
Quelle paresseuse !

Tigrou et le vasistas

– Miaou! dit Tigrou en grattant
la porte avec sa patte.
– Non, minou, répond Bertrand.
Tu ne peux pas sortir maintenant.
Il faut attendre un peu.
Mais Tigrou est impatient. Dès que
Bertrand est sorti de la cuisine,
il grimpe sur le buffet. De là,
il peut atteindre le vasistas.
Seulement, il est à peine ouvert.
Tigrou parvient à y glisser la tête,
mais pas les épaules. Il insiste.
– Miaou!
Il est coincé! Impossible d'avancer
ou de reculer. Bertrand arrive. Il éclate
de rire et ouvre grand le vasistas.
Cette fois, Tigrou peut sortir!
Mais il est vexé. Il aurait voulu
y arriver tout seul!

8 DÉCEMBRE

Dans les livres

Noisette et Martin jouent à cache-cache. Noisette est très douée pour se cacher.
Martin n'arrive pas à la trouver. Où peut-elle être? Soudain, il regarde la bibliothèque.
On dirait que les livres ont bougé… Certains dépassent de l'étagère. Mais oui!
Noisette s'est cachée derrière les livres. Elle regarde Martin d'un air malicieux.
– Maman! s'écrie Martin. Noisette est très intelligente! Elle sait lire…
Du moins le croit-il. Et vous?

9 DÉCEMBRE

Le froid

Ce matin, Neige rentre à la maison
en frissonnant. Elle se réchauffe
les pattes près du radiateur.
Mais son museau reste froid.
– Atchoum !
La voilà qui éternue, à présent.
Les chats ont le museau très fragile…
Par chance, Maxime est assis
à la table de la salle à manger.
Neige saute sur la table et fourre
son museau dans le cou de Maxime.
Il fait bien chaud, ici !
– Hé ! proteste Maxime. C'est glacé.
– Miaou…
C'est le seul moyen que Neige
a trouvé pour se réchauffer !

10 DÉCEMBRE

Le fauteuil

Pomponnette est couchée sur le buffet. Elle n'arrive pas à dormir.
Le buffet est beaucoup trop dur… Mais Pomponnette est trop paresseuse pour aller
jusqu'à son fauteuil. Arnaud passe devant elle. Sans hésiter, Pomponnette saute
sur l'épaule du petit garçon. Lorsqu'ils arrivent devant le fauteuil, Arnaud s'arrête.
– Vas-y, Pomponnette ! dit Arnaud. Saute !
Mais Pomponnette n'a plus envie de bouger. L'épaule d'Arnaud est très confortable.
Pourquoi ne pas faire un petit somme sur ce fauteuil-là ?

11 DÉCEMBRE

Une bosse

Mimosa sort par la chatière, comme tous les matins. Elle a fière allure.
Mais il a gelé durant la nuit et les dalles du sentier sont glissantes. Soudain, pfff!
Mimosa glisse et tombe sur le dos. Pas très élégant… Vexée, Mimosa se relève.
Deux secondes plus tard… Patatras! La voilà encore par terre.
Cette fois, elle s'est fait une bosse sur la tête. Mimosa se hâte de rentrer.
Ces dalles glissantes ne sont pas pour elle! Espérons que personne ne l'a vue…
Mimosa n'ose plus sortir de la journée. Elle a peur du ridicule!

12 DÉCEMBRE

Les habits d'hiver

Il a neigé. Agathe s'habille pour sortir.
Puis elle habille son chat comme elle.
Elle lui met un bonnet, une écharpe,
un pull, des chaussures sur ses pattes arrière
et des moufles sur ses pattes avant.
Ensuite, elle le pose sur la neige.
– Attrape! dit-elle en lui lançant
une boule de neige.
Boléro saute sur le côté. Ses chaussures
sont restées en arrière. Puis il s'enfuit.
Son écharpe tombe, ses moufles,
son bonnet aussi… et même le pull-over!
Eh oui! Les chats courent mieux sans habits!

13 DÉCEMBRE

Le bonhomme de neige

Sortir ? Non, non, il n'en est pas question !
Se dit Verveine, dans la maison.
Il a neigé toute la nuit, quel ennui !
Et au milieu du jardin, un monstre a surgi.

Il s'est installé près de la balançoire.
Qu'il est laid ! Va-t-il rester là jusqu'au soir ?
Qui est ce bonhomme à l'horrible nez
Qui tient sous sa main un balai ?

Verveine est vraiment effrayée.
Elle ne sortira pas de la journée.
Qui est-ce ? L'avez-vous deviné ?
C'est un bonhomme de neige très distingué !

14 DÉCEMBRE

La neige

Ce matin, Caroline saute à pieds joints sur son lit.
– Que fais-tu ? demande maman.
– Tu vois ! Je saute ! répond la petite fille. Comme Mistigri !
Maman regarde par la fenêtre. C'est vrai. Mistigri saute dehors, dans la neige.
On ne voit plus que sa tête et sa queue. En fait, il n'arrive pas à marcher normalement.
Il s'enfonce dans la neige, alors il fait de grands bonds. On dirait un ressort !
– Eh bien ! dit maman, tu devrais sauter dehors, comme lui. Sinon, tu vas casser ton lit.
– D'accord ! dit Caroline.
Et elle s'amuse encore plus avec son chat…

15 DÉCEMBRE

L'igloo

Malgré son prénom, Neige n'aime pas la neige. C'est froid, et il y en a partout!
Elle préfère rester à la maison et regarder par la fenêtre. Maxime et son papa sont
en train de fabriquer des blocs de neige. Puis ils les entassent les uns sur les autres.
«Drôle de jeu!» se dit Neige avant de s'endormir.
– Viens dehors, Neige! Je veux te montrer quelque chose.
La voix de Maxime l'a réveillée. Elle sort.
Dans le jardin, il y a une drôle de maison ronde, avec un trou.
– C'est un igloo, dit Maxime en y entrant avec sa chatte.
On y est bien, tu ne trouves pas?
Neige ronronne. Quelle maison confortable!
Il n'y fait pas trop froid!

16 DÉCEMBRE

Dangereux

Le fleuve est gelé. La péniche ne peut
pas bouger. Il faut attendre le dégel.
Au bout de quelques jours,
le soleil brille de nouveau. Panache
s'aventure sur le pont. Tiens!
Il y a de gros morceaux de glace dans
l'eau… Le chat pose la patte sur
l'un d'eux. Il a l'air solide! Panache
saute dessus. Puis il bondit d'un bloc
de glace à l'autre. C'est très amusant!
Soudain, il glisse. Plouf! Panache
est tombé à l'eau! Comment remonter à bord?
La péniche est très haute et les blocs de glace dansent
autour de lui. Pauvre Panache! Il a très froid…
Soudain, il se sent soulevé dans les airs. Le capitaine l'a vu
et l'a attrapé dans son filet. Il pose Panache près du poêle.
– Il ne faut pas s'amuser avec la glace! déclare-t-il.
Tu aurais pu te noyer, Panache. C'est dangereux!

Les boules de neige

Martin et Noisette jouent à s'attraper dans le jardin couvert de neige.
Soudain, Martin lance une boule de neige. Plaf! Elle atterrit en plein
sur le dos de Noisette. Elle a eu peur! Maintenant, elle est couverte de neige.
Vite, elle s'enterre sous la neige pour se protéger. Martin la cherche partout.
Où est-elle passée? Il commence à s'inquiéter. Tout d'un coup,
il reçoit une boule de neige en pleine figure.
C'est Noisette qui l'a lancée, bien sûr. Avec ses pattes arrière…
– Tu exagères! crie Martin en s'essuyant le visage avec sa main.
– Miaou! répond Noisette.
Il a eu ce qu'il cherchait, n'est-ce pas?

Pomponnette et la luge

Pomponnette la paresseuse n'est pas une joueuse.
Heureusement, son maître Arnaud
A une idée fabuleuse.
Sur la luge, il met sa chatte, bien au chaud,
Puis il tire son chargement,
En tenant la ficelle serrée dans ses gants!

Un bon matelas

Il y a un grand coussin près de la cuisinière. Noisette et Nestor l'aiment beaucoup.
Tous les jours, ils font la course pour s'y installer. Nestor gagne presque à chaque fois.
Il est plus gros et plus rapide… Aujourd'hui, il gagne encore! Mais Noisette aimerait
bien se reposer. Comment faire? Le coussin n'est pas assez grand pour tous les deux.
Dès que Nestor est endormi, Noisette pose sa patte sur lui. Puis une autre…
et encore une autre. Elle s'installe contre Nestor. Il ne dit rien. C'est très agréable,
un chat qui ronronne contre soi. Et ils se tiennent chaud. Quelle bonne sieste!

20 DÉCEMBRE

Une bonne bagarre

Pomponnette aimerait faire une bonne bagarre. Mais elle est toute seule dans la pièce.
Alors elle s'étire… Tiens, qu'est-ce que c'est? Le coussin bouge!
Ah! Ah! Pomponnette se bat avec le coussin. Elle le mord, le frappe, le traîne sur le sol…
Elle est vite épuisée! Maintenant, il faut qu'elle se repose.
Et elle s'endort… sous le coussin! Arnaud la trouve là en rentrant de l'école.
– Quelle paresseuse! lui dit-il. Tu n'as même pas eu le courage de te mettre sur le coussin.
S'il savait!

21 DÉCEMBRE

Les plumes

Noisette et Nestor font toujours la course pour arriver en premier sur le coussin,
près de la cuisinière. Cette fois, c'est Noisette qui gagne.
– Ouah! proteste Nestor.
– Miaou! répond Noisette.
Pour une fois qu'elle a gagné, elle ne va pas céder. Chacun son tour!
Mais Nestor n'est pas d'accord. Chacun tire sur un bout du coussin.
Noisette avec ses griffes et Nestor avec ses dents.
Rrrrrip! Soudain, le coussin se déchire en deux. Les plumes volent dans la pièce.
C'est malin! Maintenant, personne ne peut plus se coucher dessus.
Mais Noisette s'en moque. Elle saute pour attraper les plumes.
C'est plus facile que d'attraper des flocons de neige!

22 DÉCEMBRE

L'oreiller

Pomponnette s'est installée dans la chambre d'amis.
L'oreiller est tellement moelleux que Pomponnette s'y est enfoncée.
On ne la voit presque plus! Le soir, lorsque Pomponnette ne vient pas manger,
Arnaud part à sa recherche. Dans la chambre d'amis, il voit
deux petites oreilles pointues qui dépassent de l'oreiller… Pomponnette dort encore!
Arnaud ne veut pas la réveiller. Il ne dit rien à sa maman. Et avant d'aller se coucher,
il met une soucoupe de croquettes près du lit de la chambre d'amis.
Ainsi, lorsque Pomponnette se réveillera, elle pourra manger!

Le Père Noël

Il neige encore, aujourd'hui. Fleur tremble de froid et de faim. Comme elle aimerait se réchauffer devant une cheminée, manger des croquettes et avoir un gentil maître!
– Ho! Ho! Ho! fait tout à coup une grosse voix. Que fais-tu ici, petite chatte?
Devant Fleur, se dresse un vieux monsieur barbu, vêtu d'un manteau rouge.
Sa barbe est blanche et son nez est aussi rouge que son manteau.
– Viens avec le Père Noël! dit-il.
Il prend Fleur dans ses bras et la glisse dans l'encolure de son manteau. Puis il lui donne un sandwich.
– Mange, petite chatte, ajoute le Père Noël. Je vais m'occuper de toi.
Fleur ronronne. Quel gentil monsieur! Une fois rassasiée, elle s'endort bien au chaud, sous la barbe du Père Noël…

La chanson du Père Noël

Fleur est au chaud dans le traîneau
Du Père Noël! Quelle aubaine!
Ils vont très vite, grâce aux rennes
Qui filent de plus en plus haut.
Le Père Noël est si content
Qu'il chante tout le temps.
« Venez avec moi, les enfants,
Ne restez pas seuls dans le froid.
Venez avec moi, petits chats,
Ne restez pas tout grelottants!
Je m'envole avec mon traîneau,
Ho! Ho! Ho! De plus en plus haut!»
Fleur est ravie. Quel plus beau cadeau?

25 DÉCEMBRE

Une nouvelle maison

Le Père Noël arrête son traîneau devant une grande et belle maison.
– Je t'ai trouvé une maîtresse, dit le Père Noël. Je ne peux pas t'emmener chez moi.
J'habite au Pôle Nord et il y fait beaucoup trop froid pour toi.
Il pose Fleur devant la porte de la maison et frappe trois coups.
Presque aussitôt, une petite fille vient ouvrir. Elle s'appelle Emma.
Le Père Noël a disparu. Mais il a laissé une carte autour du cou de Fleur.
Il a écrit : « Voici un cadeau de la part du Père Noël ». Emma est ravie.
Elle prend la chatte dans ses bras et l'emmène dans le salon.
Le soir même, elle écrit au Père Noël pour le remercier.
Elle lui promet de prendre soin de Fleur. C'est son plus beau cadeau !

Le sapin de Noël

Le lendemain, lorsque Fleur se réveille,
elle dévore les croquettes qu'Emma lui a laissées
dans une soucoupe. Il est encore tôt.
Tout le monde dort dans la maison.
Fleur entre dans le salon.
Dedans, il y a un arbre merveilleux,
couvert de fruits brillants.
Fleur grimpe jusqu'au sommet du sapin.
De là-haut, elle voit toute la pièce.
Puis elle joue avec les guirlandes,
les santons, les boules dorées…
Plusieurs tombent sur le sol.
Fleur a une guirlande autour du cou.
De son lit, Emma entend sonner
les petites clochettes de l'arbre
de Noël. Elle saute de son lit
et descend l'escalier, pieds nus.
– Oh! Fleur! dit-elle.
Tu as fait des bêtises!
La petite fille remet vite
les décorations sur l'arbre.
Comme cela, personne
ne s'apercevra de rien!
Fleur ne sera pas grondée.

27 DÉCEMBRE

Le bureau de papa

Papa travaille à son bureau. Neige entre dans la pièce mais papa ne lui dit
pas un mot. Il est plongé dans un dossier. Vexée, Neige monte sur le bureau
et s'assied sur une feuille. Mais papa la repousse.
– Reste tranquille, dit-il.
Neige s'ennuie. Soudain, papa se met à écrire… Paf!
Neige donne un coup de patte à son stylo. Papa en a assez.
– Neige! dit-il. Tu ne vois donc pas que je travaille?
Il prend la chatte dans ses bras et la pose dans le couloir.
Puis il ferme la porte du bureau derrière lui. Neige n'y comprend rien.
Pourquoi la chasse-t-il? Elle n'a pourtant fait aucune bêtise!

28 DÉCEMBRE

L'ordinateur

Aujourd'hui, papa travaille sur son
ordinateur. Neige grimpe sur le bureau
et regarde l'écran. Comme il bouge vite!
Papa tape sur les touches à toute allure.
Curieuse, la chatte essaye d'attraper
les mots qui apparaissent sur l'écran.
– Non, Neige! dit Papa.
Et il la repousse dans un coin du bureau.
Puis, il va se chercher une tasse de café.
«Ah! se dit Neige. Je vais pouvoir regarder
de près cette chose-là…» Elle s'installe
sur le clavier. Comme c'est amusant!
Il y a des tas de choses qui bougent
sur l'écran. Lorsque papa revient,
il est furieux.
– Tu es impossible! dit-il.
Et il met Neige dans le couloir.
Elle est punie, encore une fois!
«Ce n'est pas juste!» pense-t-elle.

235

29 DÉCEMBRE

La lampe

Neige vient de rentrer. Elle a très froid. Où pourrait-elle se réchauffer ?
Papa travaille encore dans son bureau. Il fait chaud sous la lampe allumée.
« Si je reste bien sage, il ne me mettra pas dehors », se dit-elle.
Sans bruit, elle bondit sur le coin du bureau.
– Hé ! Tu me caches la lumière ! proteste papa.
Il pousse Neige. La patte de la chatte se pose sur l'interrupteur de la lampe.
Clic ! La lampe s'éteint. Papa est vraiment fâché, cette fois.
Il prend Neige sans dire un mot et la met dehors.
– Miaou ! Miaou ! s'écrie Neige.
Elle est triste. Papa ne veut jamais qu'elle reste travailler avec lui !

30 DÉCEMBRE

Papa travaille

Papa veut vraiment travailler.
C'est impossible, dans l'obscurité !
Neige a éteint la lumière…
Avec elle, il ne peut rien faire !

Neige n'y comprend rien.
Papa n'est pas gentil, ces temps-ci.
Pauvre Neige ! Ce n'est pas malin
De le déranger lorsqu'il réfléchit !

31 DÉCEMBRE

Et si vous étiez un chat?

Chers enfants,
Chaque jour de l'année, vous avez vécu
un petit moment de la vie d'un chat.
Cela vous permet de mieux les comprendre.
Imaginez… Il faut marcher à quatre pattes,
laper du lait dans une soucoupe,
manger des croquettes
et ne rien dire d'autre que : « Miaou ! »
Heureusement, il y a les câlins.
Si vous étiez un chat,
vous aimeriez cela aussi, n'est-ce pas ?
À propos, avez-vous essayé de ronronner ?
Non ? Vous avez raison.
Seuls les chats y parviennent.
Mais pour cela il faut qu'ils soient contents.
Alors, câlinez-les, pour la nouvelle année !

Au revoir, les enfants !

Signé : Verveine, Neige, Boléro, Tigrou,
Doudou, Noisette, Réglisse, Fleur, Mistigri,
Panache, Pomponnette et Mimosa.